L'estime de soi,
un passeport pour la vie

L'estime de soi,
un passeport pour la vie

Germain Duclos

Les éditions de l'Hôpital Sainte-Justine

Données de catalogage avant publication (Canada)

Duclos, Germain

L'estime de soi: un passeport pour la vie

(Collection Parents)
Comprend des réf. bibliogr.

ISBN 2-921858-81-9

1. Estime de soi chez l'enfant. 2. Enfants — Psychologie. 3. Éducation des enfants. 4. Parents et enfants. I. Hôpital Sainte-Justine. II. Titre. III. Collection.

BF723.S3D82 2000　　　　　　155.4′182　　　　　C00-940032-X

Illustration de la couverture: Courtoisie Pauline Paquin
Sainte-Adèle (Québec)

Infographie: Céline Forget

Diffusion-Distribution au Québec: Prologue inc.
en France: Casteilla/Chiron diffusion
en Belgique et au Luxembourg: Vander
en Suisse: Servidis S.A.

Le Service des publications de l'Hôpital Sainte-Justine
3715, chemin de la Côte-Sainte-Catherine
Montréal (Québec) H3T 1C5
Téléphone: (514) 345-4671
Télécopieur: (514) 345-4631

Dépôt légal: Bibliothèque nationale du Québec, 2000

La collection PARENTS bénéficie du soutien du Comité de promotion de la santé et de la Fondation de l'Hôpital Sainte-Justine.

Le masculin est utilisé pour désigner les deux sexes, sans discrimination, et dans le seul but d'alléger le texte.

REMERCIEMENTS

Je dédie ce livre à Thérèse Dubois-Costopoulos et à Marcel Lapointe, psychoéducateurs, qui m'ont guidé dans mes premiers pas professionnels.

De plus, je tiens à remercier les personnes suivantes qui m'ont aidé dans la réalisation de ce livre :

Luc Bégin, pour la grande patience qu'il a manifesté au cours de ce projet ;

Sylvie Bourcier, pour ses encouragements continuels ;

Lucie Brodeur, pour sa disponibilité ;

Johanne Ménard, pour ses idées originales et son enthousiasme ;

Ginette Choinière, pour le soin apporté au travail de révision ;

Claire Chabot et Sylvie Payette, pour leur fidélité à l'enfance.

Enfin, je remercie le Ministère de la Famille et de l'Enfance qui m'a autorisé à donner à mon ouvrage le titre d'un article paru en avril 1994 dans la revue « Petit à petit », sous la signature de madame Evelyne Foy.

Table des matières

▼

Introduction

▼

Dans le milieu de l'éducation et dans le domaine de la santé mentale, on considère de plus en plus la question de l'estime de soi comme fondamentale. On en traite aussi régulièrement dans les médias. Pourquoi cet engouement? Ne s'agit-il que d'une mode parmi d'autres ou, au contraire, cela traduit-il un courant de pensée plus profond, susceptible de modifier nos attitudes en tant que simples individus ou en tant que parents et éducateurs?

Toute personne œuvrant dans le domaine des relations humaines sait que l'estime de soi constitue l'un des principaux facteurs du développement humain. Elle sert de fondement à l'éducation, qui consiste essentiellement à accompagner ou à guider les enfants et les adolescents dans leur vie affective, sociale, intellectuelle et morale.

Nombreux sont les parents qui s'interrogent sur les attitudes et les moyens les plus susceptibles de garantir le bon développement de leurs enfants. Étant donné le climat d'insécurité qui règne, de nos jours, sur le plan familial comme sur le plan économique, ces interrogations sont souvent empreintes d'inquiétude. Il ne faut pas oublier que nous vivons dans une société qui est en pleine mutation, qui remet en question de nombreuses valeurs et qui offre très peu de modèles de référence stables ou de projets de société sur lesquels s'appuyer.

Le développement de l'estime de soi se fait selon un processus continu et intégré à l'éducation des enfants. Ce processus doit être alimenté par des moyens concrets et, en priorité, par les attitudes éducatives appropriées. C'est ce qui se produit lorsque les parents et les éducateurs ont une attitude chaleureuse à l'égard des enfants, lorsqu'ils leur accordent toute l'attention nécessaire, lorsqu'ils soulignent régulièrement leurs gestes positifs, lorsqu'ils croient en leur capacité de relever des défis et lorsqu'ils évitent les mots qui blessent et les sarcasmes.

Le présent livre s'adresse à tous les adultes qui ont la responsabilité de l'éducation des enfants et qui cherchent à acquérir les attitudes éducatives ainsi que les moyens nécessaires pour guider les enfants dans la voie de l'autonomie et de l'espoir en l'avenir. Il fait le point sur l'état des connaissances actuelles, théoriques et pratiques, relatives au développement de l'estime de soi chez les enfants.

Le premier chapitre traite de l'estime de soi en général et donne une définition de ce concept tout en décrivant le développement de l'estime de soi ainsi que les caractéristiques qui lui sont propres. Le deuxième étudie principalement la composante fondamentale de l'estime de soi, c'est-à-dire le sentiment de confiance. Le troisième s'attarde à la connaissance de soi, le quatrième, au sentiment d'appartenance à un groupe et le cinquième, au sentiment de compétence. Confiance, connaissance de soi, appartenance à un groupe et compétence contribuent à bâtir l'estime de soi qui servira de passeport à l'enfant pour la vie. Des stratégies et des conseils pratiques pour faire vivre ces sentiments aux enfants sont aussi proposés dans chaque chapitre.

De très nombreuses recherches établissent que l'estime de soi aide à prévenir toutes sortes de problèmes de comportement ou d'apprentissage et qu'elle protège contre la dépression. L'estime de soi se construit sur la base des relations d'attachement et de complicité que chacun vit, et ce sont ces mêmes relations qui lui permettent de surmonter sereinement les difficultés de la vie. En grandissant, l'enfant peut à son tour favoriser l'estime de soi chez les autres, car il peut s'appuyer sur la sienne. L'estime de soi est le plus beau cadeau qu'on peut se transmettre d'une génération à l'autre.

CHAPITRE 1

DÉFINITION ET CARACTÉRISTIQUES DE L'ESTIME DE SOI

▼

Si l'on entend beaucoup parler d'estime de soi de nos jours, à un point tel que l'expression est en voie de passer dans le langage populaire, il arrive fréquemment qu'on confonde estime de soi avec confiance en soi, assurance ou détermination.

Chaque individu se fait une idée de lui-même et se forge, au fil de ses expériences, une image de soi qui varie considérablement à travers le temps. Des recherches récentes démontrent que cet autoportrait change tout au long de la vie et qu'il continue à se modifier même après 80 ans.

Une définition de l'estime de soi

Les dictionnaires définissent généralement l'estime de soi comme étant un sentiment favorable né de la bonne opinion qu'on a de son mérite et de sa valeur. Le *Dictionnaire actuel de l'éducation**, pour sa part, parle de l'estime de soi comme de la valeur qu'un individu s'accorde globalement; il ajoute qu'elle fait appel à la confiance fondamentale de l'être humain en son efficacité et en sa valeur.

---

* Legendre, Reynald. *Dictionnaire actuel de l'éducation*. Montréal: Guérin éditeur, Paris: Éditions Eska, 1993.

Nous estimons, quant à nous, que l'estime de soi est *la conscience de la valeur personnelle* qu'on se reconnaît dans différents domaines. Il s'agit, en quelque sorte, d'un ensemble d'attitudes et de croyances qui nous permettent de faire face à la réalité, au monde.

Il est important de bien préciser ce que nous entendons par *la conscience de la valeur personnelle*. Ce n'est pas la valeur qui est en cause, mais bien la conscience de celle-ci. En effet, il y a beaucoup d'individus (enfants, adolescents ou adultes) qui font preuve de belles et grandes qualités, qui manifestent beaucoup de compétence et de talent, mais qui, n'en étant pas conscients, ressentent une faible estime d'eux-mêmes. Ce n'est donc pas la maîtrise ni l'actualisation de forces et d'habiletés particulières qui font qu'une personne a une bonne estime d'elle-même. La clé de l'estime de soi se trouve dans le processus de « conscientisation ». Elle consiste en la représentation affective qu'on se fait de soi-même par rapport à ses qualités et habiletés ainsi qu'en la capacité de conserver dans notre mémoire ces représentations de manière à les actualiser et à pouvoir surmonter des difficultés, relever des défis et vivre de l'espoir.

L'estime de soi n'est pas du tout synonyme de narcissisme et ne constitue nullement un sentiment d'admiration de soi-même associé à de l'égocentrisme, à des sentiments de grandiosité et d'omnipotence. Au contraire, l'estime de soi suppose une conscience de ses difficultés et de ses limites personnelles. Toute personne qui a une bonne estime de soi est capable de dire d'elle-même : « J'ai des qualités, des forces et des talents qui font que je m'attribue une valeur personnelle, même si je fais face à des difficultés et que je connais mes limites. » Malheureusement, dans notre société de tradition judéo-chrétienne, l'estime de soi est encore trop souvent associée à vanité, orgueil et égoïsme.

Il ressort, par conséquent, que l'estime de soi suppose une perception réaliste de son être. Cette perception se modifie et s'enrichit au gré des expériences et au fil du développement de sa personnalité.

L'estime de soi, c'est la valeur positive qu'on se reconnaît globalement en tant qu'individu et dans chacun des domaines importants de la vie. On peut avoir une bonne estime de soi comme travailleur, mais une image de soi très négative comme parent ou comme amant.

Certains auteurs mentionnent qu'on confond souvent l'estime de soi relative à son être (ou sa valeur intrinsèque) et l'estime de soi relative à sa façon d'agir, son apparence ou son rendement (le paraître)*. Malheureusement, plusieurs personnes jugent leur valeur uniquement sur la base de leur « performance » ou de leur apparence corporelle ou sociale (leur réputation). Leur estime d'elles-mêmes dépend alors du jugement ou de l'approbation des autres. Ces personnes en viennent à vivre un stress de performance ou un sentiment urgent de toujours bien paraître pour être estimées et aimées. La valeur qu'elles s'attribuent est essentiellement extrinsèque et souvent aléatoire, car elle dépend d'une approbation sur laquelle elles n'ont aucun pouvoir.

Par contre, il ne faut pas oublier que les jugements des autres se forment en fonction de l'estime que la personne a d'elle-même. En effet, un enfant ou un adulte qui a une bonne estime de lui-même est plus sûr de ses capacités et se montre plus déterminé dans la poursuite de ses objectifs ; ces attitudes entraînent des jugements positifs de la part des autres à son

---

* Monbourquette, Jean, Myrna Ladouceur et Jacqueline Desjardins-Proulx. *Je suis aimable, je suis capable : parcours pour l'estime et l'affirmation de soi.* Nouv. éd. Outremont, Québec : Novalis, 1998. p. 4.

égard. C'est ce qu'on appelle le cycle dynamique des régulations réciproques entre l'« être » et le « paraître », qui se nourrissent mutuellement.

Finalement, il est essentiel de souligner que tout individu, en particulier tout enfant, se sentira estimé s'il a une relation de qualité avec les personnes qui sont pour lui significatives, c'est-à-dire auxquelles il attache beaucoup d'importance. En effet, l'enfant appréciera, par ce type de relation, ses propres qualités et ses caractéristiques personnelles, indépendamment de son apparence ou de ses performances. Amour et confiance constituent la nourriture psychique dans laquelle il puisera l'énergie lui permettant de mieux s'actualiser. L'être humain devient harmonieux et heureux lorsqu'il y a cohérence entre son « être » et son « paraître » et lorsqu'il est conscient de la valeur positive de ces deux dimensions de sa personne.

À *la source de l'estime de soi*

Quelle est la source première de l'estime de soi ? De nombreuses études et recherches affirment que l'estime de soi prend naissance dans une relation d'attachement. En effet, tout individu qui s'est senti aimé ou qui se sent encore aimé — même si ce n'est que par une seule personne — peut se dire qu'il est aimable et qu'il possède une valeur propre.

On ne naît pas avec une image de soi toute faite. Les enfants apprennent d'abord à se voir dans les yeux des personnes qui sont importantes pour eux : leurs parents, leurs frères et sœurs, leurs enseignants et enseignantes et, enfin, leurs amis.

La période de l'attachement est fondamentale dans le développement psychique de tout être humain. Elle constitue le noyau de base de l'estime de soi. Ce premier sentiment d'une valeur personnelle s'enrichit, par la suite, de rétroactions (feed-back) positives de l'entourage qui confirment à l'individu ses forces, ses qualités et ses réussites.

Lorsque, bébé, l'enfant s'aperçoit qu'on répond à ses pleurs et qu'on le dorlote, il construit le sentiment intérieur de son importance. Quand, à 2 ans, il s'oppose à son entourage et s'affirme, et qu'on lui permet de faire des choix, il construit le sentiment intérieur d'être « capable ». Vers 4 ans, lorsqu'il se pavane en ayant l'air de dire « Regardez comme je suis beau ! » et qu'on lui reconnaît une valeur en tant que garçon ou fille, il construit le sentiment intérieur d'être suffisamment intéressant pour prendre sa place. À 6 ans, quand il s'intéresse à des apprentissages plus intellectuels et qu'on souligne ses capacités réelles, il construit le sentiment intérieur d'être compétent.

Toute la vie, au gré de multiples expériences, l'estime de soi peut se modifier, augmenter ou diminuer temporairement. Les changements qui surviennent au cours des diverses étapes de la vie s'intègrent dans une continuité de soi. Se dégage alors un sentiment d'unité et de cohérence interne.

Un phénomène cyclique et variable

L'estime de soi peut se développer à tout âge et elle varie selon les étapes de la vie. Les premières années de la vie revêtent cependant une grande importance. Elles sont, en quelque sorte, le fondement psychique de l'être humain. Cela n'empêche pas que chaque autre étape de la vie comporte ses propres enjeux.

La conscience de la valeur personnelle est donc cyclique et variable. Pour illustrer cela, il suffit d'imaginer la situation suivante : une personne, possédant une bonne estime de soi du fait qu'elle vit de bonnes relations avec ses proches, qu'elle aime son travail par lequel elle se sent valorisée et qu'elle s'actualise dans ses diverses activités, vit soudainement une épreuve. Cette épreuve — une maladie, une perte d'emploi ou une séparation — a pour résultat de perturber temporairement son estime de soi. Mais c'est sur la base de sa bonne perception d'elle-même qui est enracinée en elle, qu'elle peut faire face à l'épreuve et s'adapter. Ayant conscience de ses ressources et de ses forces personnelles, elle peut les utiliser pour sortir de l'ornière.

L'estime de soi s'enrichit au fil des expériences vécues. En effet, grâce à la conscience de la valeur de ses capacités et à l'utilisation de ses ressources personnelles, une personne réussit à créer des mécanismes adaptatifs qui permettent de gérer le stress et de surmonter une épreuve. La conscience et la satisfaction personnelle d'avoir relevé un important défi augmentent l'estime de soi et donnent de l'espoir face à l'avenir. L'estime de soi est la conscience acquise à travers les années de sa valeur personnelle ainsi que des forces, des qualités et des habiletés qui permettent à une personne de vivre en harmonie avec elle-même et les autres. Elle constitue une réserve consciente de forces qui l'aident à surmonter des épreuves et à gérer le stress de la vie, et c'est en ce sens qu'elle est un passeport pour la vie.

La qualité des relations

L'estime de soi est subordonnée à la qualité des relations qu'un enfant tisse avec les personnes qui sont importantes pour lui et qu'on dit « significatives ». Ainsi, les propos favorables tenus par un adulte significatif contribuent grandement à l'existence d'une bonne estime de soi chez un enfant. À l'inverse, des propos ou des jugements négatifs peuvent détruire l'image que cet enfant a de lui-même. L'attachement, on le voit bien, est une arme à double tranchant.

Le fait que l'adulte ait ou non de l'importance aux yeux de l'enfant détermine la résonance et les répercussions qu'aura sur lui un jugement positif ou un commentaire désobligeant de cet adulte. La qualité des échanges relationnels influence beaucoup l'estime de soi. L'estime de soi, c'est cette petite flamme qui fait briller le regard lorsqu'on est fier de soi. Mais cette flamme peut facilement vaciller et même s'éteindre si elle est exposée au vent mauvais des sarcasmes et des critiques !

Il ne suffit pas qu'un enfant connaisse de petites réussites pour qu'il acquiert, comme par magie, une bonne estime de soi. Il faut plus pour se percevoir de façon positive et durable. C'est là que l'adulte entre en jeu. Il a comme tâche de souligner les gestes positifs ou les succès de l'enfant et de faire en sorte qu'il en conserve le souvenir. En l'absence de rétroactions positives, l'enfant ne peut pas prendre conscience de ses réussites ni les enregistrer dans sa mémoire. Ce souvenir des réussites doit être ravivé régulièrement si l'on veut qu'il reste au niveau de la conscience. L'estime de soi, en effet, fonctionne par la mémoire et grâce à elle.

Toute nouvelle connaissance ou tout nouvel apprentissage d'une habileté disparaît de la mémoire s'il n'est pas réinvesti régulièrement. Il appartient à l'adulte d'amener souvent l'enfant à évoquer le souvenir des gestes positifs qu'il a faits et des petites réussites qu'il a connues. De cette façon, gestes et réussites restent imprégnés dans la conscience. L'évocation de ces souvenirs positifs peut se faire de multiples façons, par la parole, par des écrits, par des dessins, par des photos, etc.

Le développement de l'estime de soi

Nous pouvons maintenant voir de façon plus précise comment se bâtit l'estime de soi. Elle dépend, en premier lieu, des rétroactions positives exprimées par les personnes qui ont de l'importance aux yeux de l'enfant. Ces personnes, en soulignant ses réussites, confirment l'enfant dans sa valeur. La source de l'estime de soi est donc extérieure à l'enfant, ou extrinsèque. Avec le temps, en recevant régulièrement des rétroactions positives, l'enfant intériorise une bonne estime de lui-même qui sera nourrie de façon intrinsèque par son monologue intérieur, c'est-à-dire une conversation qu'il entretient avec lui-même et dont le contenu est positif ou négatif.

Pour évaluer la qualité de sa propre estime de soi, il faut prendre conscience des jugements qu'on porte sur soi-même dans ses monologues intérieurs. Si un jugement est positif, on nourrit soi-même sa propre estime de soi. Quand une épreuve survient ou quand on subit un échec, notre estime de soi peut être ébranlée jusqu'à ce qu'un monologue intérieur positif la ravive et la nourrisse.

Des auteurs[*] déterminent trois composantes qui permettent d'évaluer la qualité de l'estime de soi chez une personne :

- Le regard qu'elle porte sur elle-même (son « être ») et sur son agir (son « paraître »). Donc, *se voir*.

- Le dialogue intérieur qu'elle entretient sur elle-même touchant son être et sa performance. Donc, *s'entendre*.

- Les sentiments qu'elle vit par rapport à elle-même et aux fruits de son action. Donc, *s'aimer*.

On ne peut prétendre amener un enfant à une auto-évaluation aussi systématique de la qualité de son estime de soi. Par contre, les adultes significatifs pour un enfant peuvent l'accompagner et l'aider, à compter de l'âge de 7 ou 8 ans, à mieux se voir, c'est-à-dire à avoir une perception plus critique ou objective de lui-même, à être en contact avec son monologue intérieur. Ce monologue consiste pour l'enfant à entendre les jugements intérieurs qu'il porte sur lui-même et sur son rendement afin d'apprécier davantage sa valeur intrinsèque.

---

[*] Monbourquette, Jean, Myrna Ladouceur et Jacqueline Desjardins-Proulx. Op. cit.

Avant l'âge de 7 ou 8 ans, on ne peut parler d'une véritable estime de soi chez l'enfant. En effet, les capacités intellectuelles de l'enfant d'âge préscolaire ne sont pas assez développées pour qu'il puisse jeter un regard critique sur lui-même et accéder à un véritable monologue intérieur. Le jeune enfant de 3 à 6 ans a encore une perception magique et naïve de lui-même; il ne peut critiquer rétrospectivement ses actions passées sur le plan séquentiel, causal et logique.

La pensée du tout-petit est trop égocentrique pour qu'il puisse avoir une bonne conscience de lui-même. Toutefois, l'enfant de cet âge a déjà une vision de lui-même qui est liée à un passé très récent. Le concept de soi chez l'enfant d'âge préscolaire est limité à l'activité qu'il vient de vivre; il est circonscrit dans un temps récent ainsi que dans un espace précis. Ce concept prépare l'avènement de l'estime de soi.

Vers 7 ou 8 ans, avec l'apparition de la pensée logique, l'enfant devient capable de récupérer les images de soi positives qui proviennent de ses expériences passées et de les intégrer afin de constituer son estime de soi. D'où l'importance d'avoir envers les tout-petits les attitudes qui prépareront l'apparition, vers 7 ou 8 ans, d'une bonne estime de soi. À partir de cet âge, grâce à l'avènement d'une pensée critique face à lui-même, l'enfant est très influencé par ses propres évaluations (exprimées verbalement ou dans son monologue intérieur) sur ses compétences dans des domaines jugés importants par les personnes significatives à ses yeux. L'enfant peut maintenant faire une évaluation globale de sa valeur personnelle et il peut aussi estimer sa valeur dans chacun des domaines de sa vie, selon ses critères personnels ou selon ceux des personnes qu'il juge importantes. Ainsi l'enfant commence à évaluer sa propre valeur et il est capable d'exprimer son estime de lui-même à d'autres personnes par ses actes, ses paroles et ses attitudes.

De l'échec et de l'erreur

L'estime de soi se nourrit des succès qu'une personne connaît au cours de ses activités. Nul ne peut s'actualiser ni se développer en accumulant des échecs. Toutefois, il importe pour la personne de tirer de chaque échec une leçon ou un enseignement afin de se rassurer quelque peu sur sa valeur personnelle. Mais le souvenir de l'échec restera presque toujours présent.

En ce qui concerne l'erreur, on peut dire qu'elle est source d'actualisation et de développement personnel. Elle permet un ajustement ou une modification de la pensée et des actions dans la poursuite d'un objectif. L'erreur, somme toute, est au service de l'adaptation. Aussi ne faut-il pas la confondre avec l'échec. L'erreur fait partie du processus normal de l'apprentissage tandis que l'échec est un résultat négatif qui consiste en la non-atteinte d'un objectif d'apprentissage.

Pour vivre des succès

L'atteinte d'un objectif d'apprentissage est toujours valorisante et sert à bâtir l'estime de soi. La perception du succès varie toutefois d'un individu à l'autre. Elle est pour une bonne part subjective, en ce sens qu'elle est tributaire des attentes, des ambitions, des valeurs et du degré de perfectionnisme de chacun.

Deux catégories d'individus éprouvent davantage de difficulté à nourrir une bonne estime d'eux-mêmes. La première regroupe les enfants, les adolescents et les adultes qui connaissent régulièrement des échecs et qui sont fréquemment insatisfaits d'eux-mêmes. L'autre catégorie est celle des personnes trop ambitieuses et perfectionnistes qui atteignent des objectifs dont ils sous-évaluent l'importance ; leurs ambitions sont très élevées et elles ne peuvent jamais les réaliser. Les perfectionnistes, en particulier, n'acceptent aucune erreur et tout ce qu'ils entreprennent doit être parfait. Ces personnes trop exigeantes profitent rarement de leurs succès et éprouvent souvent un sentiment d'insatisfaction face à elles-mêmes.

Toute personne parvient à une haute estime d'elle-même quand elle atteint des succès qui sont égaux ou supérieurs à ses ambitions. Elle en retire une fierté personnelle ainsi que des sentiments d'efficacité et de compétence qui augmentent son l'estime d'elle-même. Pour qu'un enfant puisse vivre du succès, il est très important qu'on lui propose des objectifs réalistes tout en ayant la certitude qu'il est capable de les atteindre. Ces objectifs réalistes deviennent des facteurs de protection de l'estime de soi.

Il a été largement démontré que l'estime de soi est à la base de la motivation. En ce sens, un enfant ne peut espérer atteindre un objectif ni obtenir du succès s'il n'a pas la conscience de sa valeur personnelle. Autrement dit, l'enfant, pour connaître du succès, doit s'appuyer sur le souvenir de ses succès passés ; c'est la condition pour qu'il soit capable d'anticiper avec réalisme la possibilité de vivre un autre succès. Mais le souvenir de ses succès ne lui vient que si l'adulte les lui a soulignés au fur et à mesure ; l'adulte doit également avoir pris soin de réactiver fréquemment ce souvenir tout en proposant de nouveaux défis ou de nouveaux apprentissages. L'enfant puise dans cette mémoire l'énergie et l'espérance nécessaires pour persévérer dans ses efforts. En vivant des succès, il acquiert une fierté personnelle qui alimente son estime de soi. C'est le cycle dynamique de l'apprentissage dont l'estime de soi constitue l'assise essentielle.

Les variations de l'estime de soi

L'estime de soi de toute personne varie selon un plan vertical. Elle n'est pas la même à 20 ans qu'à 40 ans. Elle fluctue également selon un plan horizontal. En effet, comme l'estime de soi n'est pas du narcissisme, il est difficilement concevable qu'un individu puisse avoir une bonne estime de soi dans tous les domaines de sa vie. Personne n'est également motivé ni compétent dans tout ce qu'il entreprend. Le sentiment de la valeur personnelle varie donc selon le domaine auquel il se rapporte (corporel, social, artistique, scolaire, etc.). Il en est ainsi pour les enfants dont la motivation fluctue selon l'activité exercée. Par exemple, un enfant peut avoir une bonne estime de soi sur le plan des activités physiques parce qu'il s'y sent compétent, et ressentir une estime de soi plus faible dans ses relations sociales parce qu'il se sent maladroit avec les personnes qu'il côtoie. Le développement des enfants se fait en dents de scie et selon un rythme qui est propre à chacun. Il en est de même pour toute personne et c'est pourquoi on parle d'un profil dysharmonique dans l'estime de soi.

L'estime de soi se développe selon un processus intégré et continu qui se poursuit au cours de toutes les phases du développement. En plus des besoins et des défis propres à chacune des phases, les apprentissages, des plus simples aux plus complexes, influencent grandement ce processus. Acquérir l'estime de soi consiste donc en un processus dynamique, intégré au développement, qui connaît des progressions subites et des régressions temporaires. L'estime de soi est cyclique, parfois instable et toujours variable, à l'image de la vie.

Un héritage précieux

Il est important de situer l'estime de soi dans une perspective de développement. Si l'on réfère à la pyramide des besoins universels décrits par Abraham Maslow*, l'estime de soi vient en quatrième place dans la hiérarchie de ces besoins.

---

* Maslow, Abraham H. *Vers une psychologie de l'être.* Paris : Fayard, 1972. 267 p.

À un premier niveau, on retrouve les besoins vitaux ou de survie (être nourri, logé et habillé convenablement). Si on veut aider un enfant à développer son estime de soi, il faut d'abord s'assurer que ces besoins sont satisfaits. À un second niveau, il faut voir à ce que cet enfant vive dans un état de sécurité physique et psychologique qui lui permette d'intégrer une attitude de confiance par rapport à lui-même et aux autres.

Les relations d'attachement et d'amour stables et continues avec une ou des personnes significatives de l'entourage forment le troisième niveau de la pyramide des besoins ; ces relations sont en quelque sorte la nourriture psychique de tout être humain. Il faut donc évaluer si l'enfant fait partie d'un réseau relationnel ou social auquel il peut se référer pour vivre un sentiment d'appartenance. Ce n'est que lorsque ces trois niveaux de besoins sont comblés, au moins en grande partie, que la personne est en position de développer une estime d'elle-même. Toute tentative pour développer ce sentiment sans que les besoins fondamentaux (besoins vitaux, besoins de sécurité physique et psychologique, besoins de relations d'attachement et d'amour) soient adéquatement comblés ne peut qu'aboutir à un résultat précaire ou s'avérer tout simplement inefficace.

Toutefois, on peut affirmer que l'estime de soi se bâtit à tout âge. Il est donc capital d'encourager la formation d'images positives chez les enfants et de veiller à l'émergence de la conscience d'une valeur personnelle. En favorisant l'estime de soi chez les enfants, on investit dans la prévention des difficultés d'adaptation et d'apprentissage et dans l'embellissement de leur vie.

Si l'enfant est persuadé que les personnes de son entourage attachent de l'importance à ce qu'il est et lui accordent de la valeur, il intégrera peu à peu une image de soi positive, il s'estimera davantage et sera fier de lui. Plus tard, il pourra puiser dans ce précieux trésor pour se donner de l'espoir et surmonter les difficultés qu'il ne manquera pas de rencontrer.

En effet, l'estime de soi est un processus de reconnaissance des forces vitales qu'une personne utilise pour créer des mécanismes d'adaptation et gérer les stress inévitables de la vie. C'est la prise de conscience de ses forces qui amène toute personne à se donner la permission de rêver, à se fixer des objectifs réalistes et à vivre de l'espoir.

Les composantes de l'estime de soi

Comme on l'a souligné dans l'introduction du présent livre, l'estime de soi est faite de quatre composantes : le sentiment de confiance, la connaissance de soi, le sentiment d'appartenance à un groupe et le sentiment de compétence. Le sentiment de confiance est un préalable à l'estime de soi. En effet, il faut d'abord le ressentir et le vivre afin d'être disponible pour réaliser des apprentissages qui vont nourir l'estime de soi. Il en va autrement des trois autres composantes. On peut stimuler la connaissance de soi, le sentiment d'appartenance et le sentiment de compétence à chaque stade du développement, à chaque période de la vie, par des attitudes éducatives adéquates et des moyens concrets. Il faut donc accorder une importance toute spéciale à la sécurité et à la confiance. Nous décrivons les quatre composantes de l'estime de soi dans les chapitres qui suivent.

Estime de soi, amour-propre et affirmation de soi

Quels rapports y a-t-il entre *estime de soi* et *amour-propre*. L'amour-propre est défini, de façon générale, comme étant un sentiment vif de la dignité et de la valeur personnelle, qui fait qu'un être souffre d'être mésestimé et qu'il désire s'imposer à l'estime d'autrui. On constate rapidement que les liens sont étroits entre les deux termes et que la différence réside dans la distinction qu'il faut faire entre *aimer* et *estimer*.

À cet effet, il faut souligner qu'on peut estimer quelqu'un sans nécessairement l'aimer. En effet, on peut reconnaître des qualités et des compétences à un individu que l'on observe en dehors de son environnement immédiat — un personnage public ou politique par exemple — sans l'aimer en tant que personne. Mais l'inverse n'est pas vrai : on ne peut aimer une personne sans l'estimer, c'est-à-dire sans lui attribuer une valeur personnelle et intrinsèque. Dans une relation d'amour et d'attachement, il est important qu'on puisse apprécier, admirer et estimer les qualités, les compétences et les attitudes de la personne aimée.

Par cette comparaison entre *amour-propre* et *estime de soi*, on se rend compte qu'un individu ne peut s'aimer lui-même sans s'estimer, c'est-à-dire sans s'attribuer une valeur personnelle. Et nous avons vu précédemment que la première conscience de cette valeur vient du sentiment d'être aimable et aimé à cause de ses caractéristiques personnelles (qualités, forces, façon d'être, identité unique).

Des auteurs établissent un lien de continuité fonctionnelle entre l'*estime de soi* et l'*affirmation de soi*. Ils mentionnent que «l'estime de soi résulte de l'activité mentale sur soi-même, tandis que l'affirmation de soi est l'expression de cette activité sur son entourage*». En effet, cette activité mentale sur soi-même est au départ dépendante, surtout pour l'enfant, des rétroactions positives des personnes significatives; mais elle se nourrit ensuite du monologue intérieur positif par rapport à l'image de soi. Ces auteurs ajoutent: «La personne jouissant d'une haute estime d'elle-même sera très consciente de sa dignité personnelle, s'appréciera dans toutes les dimensions de son être et, en conséquence, saura se faire respecter. Dans l'action, elle prendra plus de risques intelligents et elle persévérera dans la poursuite de ses projets et les mènera à terme.» Quant aux personnes passives ou qui adoptent des comportements de victimes impuissantes face aux événements de la vie ou aux personnes inhibées, elles sont incapables de se faire respecter ou de s'affirmer à cause d'une faible estime d'elles-mêmes ou parce qu'elles souffrent de blocages psychologiques inconscients.

Toutefois, il est important de souligner que l'affirmation de soi se manifeste par diverses formes d'expression (verbales, écrites, manuelles, intellectuelles, corporelles, artistiques) choisies librement par la personne selon son identité et son style unique et personnel. En somme, l'affirmation de soi est le prolongement et la manifestation concrète de l'estime de soi. L'affirmation de soi est en quelque sorte l'estime de soi en action.

---

* Monbourquette, Jean, Myrna Ladouceur et Jacqueline Desjardins-Proulx. Op. cit.

Les attitudes et les habiletés des enfants qui ont une vision positive d'eux-mêmes

Les enfants qui ont une vision positive d'eux-mêmes peuvent manifester les attitudes et les habiletés suivantes :

- sécurité et détente ;
- sentiment général de bien-être ;
- sentiment de confiance face aux adultes ;
- capacité de se souvenir de leurs succès ;
- capacité de percevoir leurs qualités et leurs habiletés ;
- sentiment de confiance face à leurs propres capacités ;
- capacité de faire face à des événements nouveaux ;
- motivation face aux nouveaux défis ou apprentissages ;
- persévérance face aux difficultés ;
- capacité de percevoir leurs différences ;
- capacité de percevoir et d'accepter les différences des autres ;
- capacité de se faire respecter ;
- capacité d'affirmation personnelle et d'autonomie ;
- capacité d'initiative ;
- capacité d'imagination et de créativité ;
- capacité de régler pacifiquement des conflits sociaux ;
- capacité de coopération ;
- sentiment de bien-être dans un groupe.

Les enfants ne peuvent vivre simultanément tous ces sentiments et manifester toutes ces attitudes et toutes ces habiletés. Mais c'est en favorisant chez eux une bonne estime de soi qu'ils en viendront plus sûrement à vivre ces sentiments et à intégrer ces attitudes et ces habiletés.

Les attitudes parentales favorables et défavorables à l'estime de soi

Attitudes favorables	*Attitudes défavorables*
Être présent de façon chaleureuse auprès de l'enfant	Ne pas être présent physiquement sur une base régulière
	Ne pas offrir une présence psychologique stable
Être fiable dans les réponses à ses besoins	Négliger de répondre aux besoins de l'enfant
Lui exprimer son amour inconditionnel	Avoir des attentes irréalistes
Souligner et valoriser ses succès	Ignorer ses succès ou ne pas leur accorder d'importance
Souligner ses difficultés en ménageant sa fierté et en lui donnant des moyens pour s'améliorer	Le blâmer pour ses maladresses
Lui offrir un cadre de vie stable dans le temps et dans l'espace	Ne pas offrir un mode de vie constant
Établir des règles de conduite sécurisantes et claires	Se montrer rigide ou trop permissif
Être constant dans l'application des règles de conduite	Changer constamment d'humeur dans l'application des règles de conduite

Attitudes favorables	*Attitudes défavorables*
Être ferme par rapport à certaines valeurs importantes et souple sur d'autres points	Se montrer rigide ou trop permissif
Imposer des conséquences logiques et naturelles à la suite d'un manquement aux règles de conduite	Imposer des conséquences trop sévères ou non reliées au manquement ou ignorer le manquement
Réduire les facteurs de stress pour l'enfant en le préparant aux changements, en minimisant leur nombre et en aidant l'enfant à trouver des façons de se calmer quand il est stressé	Manifester du stress de façon évidente Surévaluer les capacités adaptatives de l'enfant
Être un adulte en qui on peut avoir confiance	Manquer d'accueil et de disponibilité
Réactiver le souvenir de ses succès passés	Ignorer les succès de l'enfant ou ne pas leur accorder de l'importance
Souligner les forces de l'enfant	Mettre l'accent sur les difficultés plutôt que sur les forces de l'enfant
Soutenir l'enfant face aux difficultés	Surprotéger l'enfant

Attitudes favorables	*Attitudes défavorables*
L'encourager à trouver des solutions face aux difficultés	Trouver des solutions à sa place
Utiliser un langage positif et valorisant	Utiliser à son égard des mots qui blessent.
	Humilier et utiliser des sarcasmes
Favoriser l'expression de ses sentiments et émotions	Réprimer l'expression des sentiments et des besoins ou ne pas leur accorder d'importance
Permettre une ouverture aux autres	Trop contrôler ses rapports sociaux
Encourager les gestes de générosité et de coopération	Susciter l'individualisme et la compétition
Encourager l'enfant à se faire des amis et à gérer lui-même les conflits	Régler les conflits à la place de l'enfant
Lui confier des responsabilités adaptées à son niveau	Avoir des attentes trop grandes ou pas assez importantes
L'encourager à faire des choix et à développer son autonomie	Le maintenir dans la dépendance et le contrôler de façon excessive
Encourager sa créativité	Ignorer ou ne pas accorder d'importance à sa créativité

Attitudes favorables	Attitudes défavorables
Valoriser ses initiatives	Ignorer ses initiatives ou ne pas leur accorder d'importance
Respecter les motivations de l'enfant	Imposer nos motivations
Respecter le rythme développemental de l'enfant	Imposer des apprentissages précoces
Accorder plus d'importance à la démarche d'apprentissage qu'à ses résultats	Centrer notre attention uniquement sur les résultats
Accorder le droit à l'erreur	Imposer notre perfectionnisme et blâmer l'enfant pour ses erreurs
Dédramatiser les erreurs	Imposer notre perfectionnisme
S'amuser avec son enfant	Ne pas se rendre disponible à son enfant. Faire avec lui uniquement des activités axées sur la performance ou la compétition

CHAPITRE 2

Favoriser un sentiment de confiance

▼

Le sentiment de confiance est un préalable fondamental à l'estime de soi. Sans lui, il est impossible de vivre des expériences significatives et de réaliser des apprentissages.

Satisfaire le besoin de sécurité

Le sentiment de confiance se développe d'abord chez l'enfant grâce à la relation d'attachement avec ses parents qui lui procure un sentiment de sécurité.

Tous les parents savent qu'il est nécessaire que l'enfant vive un sentiment de sécurité physique. Quand ils choisissent un milieu éducatif (milieu de garde, école…), ils se préoccupent d'abord de cet aspect ; ils s'assurent, par exemple, que la surveillance sera adéquate et qu'il n'y aura pas de danger de blessure physique ou de maladie. Instinctivement, ils veulent garantir la sécurité physique de leur enfant. Par contre, ils n'attacheront peut-être pas la même importance à la question de la sécurité psychologique. Or, cette forme de sécurité est également fondamentale pour le développement de l'enfant. Grâce à la régularité des soins qu'on lui prodigue et à la présence stable des adultes autour de lui, l'enfant arrivera peu à peu à vivre un sentiment de sécurité psychologique qui se transformera graduellement en une attitude de confiance.

Le besoin de sécurité est également ressenti par les adultes chez qui il s'exprime de différentes façons. Ainsi, on peut ne pas aimer son métier, mais continuer quand même de l'exercer par besoin de sécurité. On peut aussi souhaiter ardemment une permanence d'emploi ou accepter de réprimer ses rêves et ses ambitions véritables pour combler un besoin de sécurité.

Un adulte peut difficilement transmettre un sentiment de sécurité à un enfant s'il souffre lui-même d'insécurité. Qu'il soit parent ou éducateur, il lui faut d'abord apprendre à gérer son stress et à être lui-même confiant s'il veut transmettre cette assurance à l'enfant. La sécurité, comme l'insécurité, c'est contagieux !

La tâche principale de tout parent ou de tout éducateur consiste à répondre adéquatement aux besoins liés au développement de l'enfant, c'est-à-dire aux besoins de survie, de sécurité, d'amour, d'attachement, d'affirmation, d'autonomie, d'apprentissage, etc. En ne satisfaisant pas ces besoins, le parent néglige son enfant dont le développement et l'avenir risquent fort d'être hypothéqués.

Il importe, à ce sujet, de ne pas confondre *besoin* et *désir*. L'enfant qui veut être aimé et stimulé exprime un besoin. Par contre, celui qui demande qu'on installe un téléviseur « personnel » dans sa chambre fait part d'un désir. Le parent qui répond positivement à presque tous les désirs exprimés par son enfant comme s'il s'agissait de besoins risque fort d'en faire un être insatiable ou un enfant roi.

Protéger un enfant, c'est adopter des attitudes éducatives et aménager des conditions de vie susceptibles de répondre à ses besoins de développement. En se soustrayant à cette responsabilité, le parent fait preuve de négligence. D'autre part, surprotéger l'enfant, ou faire les choses à sa place, ne favorise pas non plus son développement, mais le maintient plutôt dans un état de dépendance. Cette attitude surprotectrice nuit à l'estime de soi de l'enfant qui y voit la confirmation de son incapacité à faire lui-même les choses.

Des recherches ont démontré que les enfants qui sont confiants dans leurs relations avec des adultes significatifs sont plus indépendants, réagissent mieux aux séparations et ont une meilleure estime d'eux-mêmes. Un enfant ne peut adopter une attitude de confiance s'il n'est pas sécurisé au préalable tant sur le plan affectif que physique. L'enfant qui souffre d'insécurité est inquiet dans ses relations ; il est aussi peu disponible pour faire des apprentissages.

La sécurité exogène

Toute personne, enfant ou adulte, doit d'abord ressentir une sécurité exogène (ou extérieure). Celle-ci se change progressivement en sécurité endogène (ou intérieure) et se transforme avec le temps en attitude de confiance face à soi-même et aux autres. Finalement, c'est à partir de cette attitude de confiance que la personne peut se permettre d'envisager l'avenir avec espoir.

Mais quelles sont les bases éducatives nécessaires qui permettent à l'enfant de ressentir une sécurité exogène, et comment les établir ? Il faut avant tout que le milieu éducatif (maison, milieu de garde, école) soit organisé de manière à satisfaire ce besoin et qu'il garantisse la sécurité physique de l'enfant. Pour cela, le parent ou l'éducateur doit prendre soin d'éliminer ou de mettre hors de sa portée les éléments potentiellement dangereux (médicaments, produits toxiques, boutons de la cuisinière, prises de courant, etc.) et respecter certaines mesures élémentaires de sécurité (un éclairage adéquat dans les escaliers, par exemple). Il faut aussi enseigner à l'enfant des stratégies ou des moyens concrets par lesquels il pourra faire face à des dangers lorsque les adultes seront absents : quoi faire, par exemple, lorsqu'il y a un dégât d'eau dans la maison ou un incendie. Ces règles de sécurité doivent être bien comprises par l'enfant.

Il faut voir à ce que la vie de l'enfant dans le milieu éducatif se déroule selon un horaire régulier et sans trop d'imprévus. L'enfant est très « conservateur » et n'aime pas les changements subits ni l'improvisation. C'est grâce à la régularité et à la stabilité qu'il parvient, avec le temps, à se représenter mentalement la succession temporelle et qu'il peut prévoir ce qui se passe avant et après une activité. Cela le rassure et lui donne confiance. Si on sait à l'avance qu'un événement spécial va perturber l'horaire habituel, il est important d'en informer l'enfant le plus tôt possible afin qu'il ait le temps de se représenter le changement prévu et de l'apprivoiser mentalement. Il est aussi souhaitable de lui dire que l'horaire habituel sera rétabli une fois l'événement passé.

Tout enfant, et particulièrement tout jeune enfant, a besoin de repères spatiaux stables pour s'orienter, s'organiser et se sécuriser. Il doit en arriver à se représenter mentalement les lieux où il vit chaque jour pour éviter l'insécurité ou la panique lorsqu'il s'égare ou lorsque l'adulte est absent. Ces repères spatiaux stables représentent pour l'enfant sa « niche » sociale, un lieu d'appartenance auquel il peut s'identifier.

Des changements fréquents d'horaire ou de lieu de vie provoquent un stress que même les nourrissons ressentent. Tout enfant a un grand besoin de stabilité. Des déménagements répétés, un changement de gardienne ou de milieu de garde, une garde partagée instable, des modifications à l'horaire, tout cela crée un climat d'insécurité qui risque de nuire au développement de l'enfant. Par contre, il ne faut pas chercher à éliminer tout changement dans la vie d'un enfant. Une telle attitude rigide et surprotectrice l'empêcherait de développer des mécanismes d'adaptation et de gestion du stress ; sans ces mécanismes, il serait démuni devant toute nouveauté.

Garantir la stabilité

Toute groupe comme tout individu a ses rituels, ses routines. Ce sont des façons de faire ou des habitudes que la vie en société et les particularités de chaque activité nous font adopter. En ce qui concerne l'enfant, il est évident qu'un trop grand nombre de changements dans les routines provoque de l'instabilité et de l'insécurité et tend à diminuer la confiance. En effet, les routines ont pour effet de sécuriser l'enfant et de le situer dans le temps et dans l'espace. Aussi, lorsque les changements sont importants et fréquents, les parents doivent garantir la plus grande stabilité possible ; par exemple, les parents qui ont des horaires de travail variables doivent s'assurer qu'il y a toujours un adulte responsable à la maison.

L'enfant a besoin de nouer des relations avec des adultes. Le contexte social dans lequel nous vivons aujourd'hui ne semble pas répondre adéquatement à ce besoin ; en effet, tous les jours, il entre en contact avec un grand nombre d'adultes. On estime même qu'un enfant du primaire, qui fréquente les services de garde de son école, est en interaction avec une douzaine d'adultes durant la journée. Or, ce n'est qu'illusion, car l'enfant ne retire pas nécessairement de bénéfice particulier de ces rencontres. Ce n'est pas le nombre d'adultes avec lesquels il entre en contact qui importe, mais la stabilité et l'intensité de la relation qu'il a avec ces adultes.

De nos jours, la famille souffre d'une pénurie de temps. Les adultes sont souvent bousculés par mille activités et ils ont de moins en moins de temps à consacrer aux enfants. Ainsi, nombreux sont ceux qui ne profitent pas d'une relation stable et continue avec un adulte. À défaut d'une attention stable, ces enfants risquent de souffrir de négligence affective. Lorsque l'enfant sent que l'adulte est trop pressé ou occupé pour lui accorder suffisamment de temps, il peut facilement en conclure qu'il n'a pas beaucoup de valeur.

La stabilité d'humeur de l'adulte contribue également à sécuriser l'enfant. Il ne s'agit pas de demander au parent ou à l'éducateur d'être toujours d'humeur égale, mais de l'inviter à éviter des changements trop brusques ou excessifs dans son expression émotive et dans ses réactions ; cela ne peut que provoquer de l'insécurité chez l'enfant qui en arrive à craindre des réactions imprévisibles et exagérées. La sécurité et la confiance ne s'accommodent vraiment que de comportements assez prévisibles. Si l'adulte responsable de l'enfant est trop fatigué, s'il est stressé ou s'il vit des conflits interpersonnels, il doit en priorité s'occuper de lui-même, c'est-à-dire apprendre à gérer son stress ou demander de l'aide afin d'être plus serein et disponible pour l'enfant.

Une ligne de conduite éducative stable est d'une importance capitale pour amener l'enfant à intégrer un sentiment de sécurité et de confiance. Il est reconnu que les enfants qui souffrent le plus d'insécurité proviennent principalement de deux milieux ; le premier, très sévère et répressif, donne peu de liberté à l'enfant ; on y observe des interventions éducatives excessives et humiliantes. Dans un tel contexte, l'enfant ressent rapidement de l'insécurité et devient inhibé par crainte des réactions des adultes. L'autre milieu dans lequel l'enfant manque de sécurité est celui où les adultes sont trop permissifs. Dans ce cas, l'enfant n'a pas de balises ni de règles de conduite claires qui pourraient l'aider à ajuster son comportement et profiter, à l'intérieur de limites bien définies, d'une marge de liberté.

Au contraire, les enfants éduqués dans un milieu où les règles sont claires développent une bonne estime d'eux-mêmes et s'évaluent positivement.

La stabilité dans les attentes fait aussi partie des attitudes éducatives qui aident à sécuriser l'enfant. Les exigences de l'adulte, en ce qui concerne les comportements désirés, doivent demeurer sensiblement les mêmes. Un manque de continuité dans les attentes et des demandes qui varient sans arrêt créent de l'insécurité chez l'enfant. De plus, le parent doit oublier son souci de perfectionnisme et ignorer certains comportements secondaires lorsqu'ils ne nuisent pas au développement de l'enfant. Sinon, ce dernier risque d'interpréter la recherche de la perfection comme du harcèlement ou de l'hostilité.

Développer l'autodiscipline

Dès ses premiers mois de vie, l'enfant commence à apprendre à maîtriser son environnement physique et humain. Au cours de ses explorations, il doit être protégé des dangers et il doit apprendre à connaître les limites de son milieu. Il est essentiel qu'il arrive, avec le temps, à distinguer les comportements qui sont permis de ceux qui sont interdits. Il doit apprendre, et cela est parfois pénible, à régulariser et à adapter ses conduites en fonction des réalités qui l'entourent. Cette autodiscipline s'acquiert graduellement, sur une période de temps qui va de la petite enfance à l'adolescence.

Il est tout à fait normal qu'un enfant pense avant tout à s'amuser et qu'il cherche à manipuler l'adulte de manière à satisfaire ses désirs. Il est également naturel qu'un enfant teste son pouvoir sur son milieu et en évalue les limites. Par contre, il est moins normal que l'adulte le laisse faire ou se laisse prendre au piège. Une pareille attitude révèle d'abord l'existence d'un problème non résolu chez l'adulte.

L'enfant n'apprendra pas à maîtriser ses comportements si les adultes, au préalable, n'exercent pas un certain contrôle sur lui de manière à le protéger. Ce contrôle amène l'enfant à intégrer un sentiment de sécurité. S'il ne sent pas que cette protection existe, l'enfant dépensera beaucoup d'énergie à s'agiter sur le plan moteur ou à se retrancher derrière des attitudes défensives pour prévenir les dangers. En conséquence, il ne pourra pas investir cette énergie dans des relations positives avec les autres ou dans des apprentissages.

Des règles de conduite sécurisantes

Tout milieu a besoin de règles pour bien fonctionner. À l'école et à la maison, les adultes doivent élaborer des règles de conduite qui ont pour but de sécuriser l'enfant. En lui donnant des points de repère stables, l'adulte permet à l'enfant de s'adapter à son milieu tout en lui permettant d'intégrer des valeurs.

L'élaboration de règles de discipline n'a pas pour but premier d'assurer le bien-être des adultes, mais de protéger l'enfant, de le sécuriser et d'en prendre soin. Les règles doivent être établies en fonction de l'âge de l'enfant et tenir compte de son niveau de développement et de ses besoins. Ces règles, nécessaires pour amener l'enfant à acquérir une conscience morale et sociale de même qu'une autodiscipline et un sentiment de sécurité, doivent comporter certaines caractéristiques.

Des règles claires

Les règles doivent être claires, c'est-à-dire véhiculer des valeurs éducatives (respect de soi, des autres ou de l'environnement) facilement compréhensibles par les enfants. Il est donc essentiel que les parents et les éducateurs établissent les principales valeurs qu'ils veulent transmettre tout en éliminant celles qui sont secondaires. Il est important qu'il y ait consensus des adultes autour de ces règles afin que l'enfant constate qu'il vit dans un milieu stable et cohérent. Si cette entente n'existe pas et si les adultes expriment des contradictions, l'enfant peut facilement ressentir de l'insécurité.

Des règles concrètes

Les règles doivent être établies en fonction d'actions précises qu'on veut voir se réaliser. Elles doivent refléter les comportements escomptés et être formulées sur le mode positif, car tout ce qui est reçu par l'inconscient est reçu positivement. Ainsi, si on dit à un enfant « ne cours pas », il va probablement retenir le mot qui exprime l'action et se mettre à courir. Une règle concrète doit plutôt traduire le comportement positif attendu. Ainsi, au lieu de dire « ne cours pas », il vaut mieux dire « marche » ou « va lentement ». De plus, les règles doivent être réalistes, c'est-à-dire que les enfants doivent être capables de les respecter.

Des règles constantes

L'application des règles ne doit pas varier au gré de l'humeur de l'adulte. La constance est synonyme de fermeté. Les parents et les éducateurs ont souvent bien du mal à faire preuve de constance car, comme tout être humain, ils vivent des stress importants et connaissent des changements d'humeur. Pour favoriser la constance, il est important de n'avoir qu'un nombre réduit de règles à faire respecter, car les enfants de 6 à 12 ans ne peuvent intégrer et appliquer que cinq règles à la fois. La constance et la fermeté prennent un sens positif quand l'adulte ne perd pas de vue les valeurs qu'il veut transmettre.

Fermeté n'est pas synonyme de fermeture ni de rigidité. On peut, par exemple, suspendre temporairement une règle lors d'un événement spécial ; on doit alors faire comprendre à l'enfant qu'il s'agit d'un privilège et que la règle sera remise en vigueur dès que l'événement sera passé. Constance et fermeté sécurisent beaucoup les enfants ; elles leur permettent de voir les adultes comme des êtres justes, fiables et dignes de confiance.

Des règles cohérentes

Il est essentiel que l'adulte prêche par l'exemple en agissant lui-même selon les valeurs qu'il veut transmettre. La cohérence entre valeurs prônées et comportements prend la forme d'un témoignage qui inspire sécurité et confiance.

Des règles conséquentes

Les enfants ont tous, à des degrés divers, une propension à transgresser les règles et leurs comportements ont alors des conséquences sur eux-mêmes et sur les autres. L'enfant doit apprendre à assumer les conséquences de ses actes si l'on veut qu'il intègre le sens de sa responsabilité personnelle. Ces conséquences doivent être logiques ou naturelles, c'est-à-dire qu'elles doivent être étroitement liées à l'acte reproché.

Prenons l'exemple d'un enfant qui agresse physiquement ou verbalement un camarade. On peut décider qu'il devra, pour réparer cette faute, rendre service à son camarade. Dans le cas d'un élève dont le comportement perturbateur nuit au groupe dont il fait partie, la conséquence pourrait être d'assumer après coup une responsabilité permettant d'aider le groupe. Dans l'esprit du développement de l'estime de soi, la conséquence logique à un écart de conduite doit prendre la forme d'un geste réparateur positif. Dans cette perspective, lorsque l'enfant a réparé sa faute, l'adulte doit souligner son geste positif afin que l'enfant vive le moins longtemps possible avec une image négative de lui-même.

Pour une discipline incitative

La majorité des milieux éducatifs adoptent et mettent en pratique une discipline plus répressive qu'incitative. En effet, les interventions éducatives sont, en général, davantage orientées vers la répression des comportements dérangeants ou perturbateurs que vers l'encouragement des comportements positifs. On prête, règle générale, plus attention aux comportements négatifs, ce qui amène beaucoup d'enfants, ayant compris cette situation, à répéter ces comportements afin qu'on s'occupe d'eux.

Quand un milieu est plus répressif qu'incitatif, un climat de suspicion se crée, creusant un véritable fossé entre adultes et enfants. Pour passer d'une discipline répressive à une discipline incitative, les adultes devraient appliquer le principe des trois « R ».

Récompenses

Il faut souligner régulièrement les comportements positifs des enfants en offrant des récompenses concrètes ou des félicitations afin qu'ils soient conscients de la valeur positive de leurs gestes. Trop d'enfants, qui ont un bon comportement et font de bons apprentissages, nourrissent une pauvre estime d'eux-mêmes, car on a négligé de souligner leurs comportements positifs. Comme on l'a dit au chapitre précédent, l'estime de soi, c'est la conscience de la valeur qu'on se reconnaît ; or, pour que cette conscience s'établisse, l'enfant a besoin de rétroactions positives de la part des adultes auxquels il fait confiance.

Réparation

On encourage les comportements positifs lorsqu'on demande à l'enfant de réparer une faute par des gestes positifs. En appliquant systématiquement ce principe, on enseigne aux enfants à être en relation avec son entourage sur un mode positif. La réparation réduit le sentiment de culpabilité chez l'enfant tout en l'aidant à assumer sa responsabilité personnelle.

Rachats

On a souvent tendance à enlever des privilèges aux enfants qui ont eu des écarts de conduite. Dans la perspective du développement de l'estime de soi, il importe d'accorder à l'enfant la chance de « racheter » un privilège perdu s'il se conduit bien pendant une période de temps déterminée à l'avance. Donner à l'enfant une chance de se reprendre, c'est lui démontrer qu'il peut réparer une erreur commise et c'est lui pardonner. Cela permet également de montrer à l'enfant qu'il a droit à l'erreur. Enfin, la possibilité de rachat amène l'enfant à voir l'adulte comme un être souple et chaleureux.

Aider l'enfant à gérer le stress

Insécurité et stress sont intimement liés. On constate que les enfants vivent beaucoup de stress à cause de l'insécurité qu'ils ressentent face aux changements et à la nouveauté. Il faut donc les aider à gérer ce stress tout en agissant sur les causes de l'insécurité.*

Le stress n'est pas uniquement négatif. Au contraire, il nous aide également à actualiser nos capacités adaptatives, à relever des défis et à évoluer. Tout dépend, bien sûr, de notre manière de le gérer. Le stress devient détresse quand on ne peut le fuir ni le combattre ou lorsqu'il surpasse nos capacités d'adaptation. Lorsqu'il devient détresse, il provoque chez l'enfant de l'agitation motrice, des troubles du comportement, un affaiblissement du système immunitaire et, à la longue, des maladies psychosomatiques.

---

* Voir l'encadré en page 51.

De la sécurité à la confiance

Protéger un enfant et en prendre soin favorise donc un sentiment de sécurité chez lui. Le parent ou l'éducateur qui en est responsable lui assure une sécurité exogène (ou extérieure) par la régularité de ses réponses aux besoins exprimés, par une stabilité dans le temps et l'espace ainsi que par un certain nombre de règles de conduite. Cette sécurité « extérieure », qui se vit dans une relation d'attachement stable et chaleureuse, s'intériorise chez l'enfant et devient peu à peu une sécurité intérieure, un sentiment de confiance.

Le sentiment de confiance origine donc de ce que nous appelons la sécurité extérieure et se consolide quand l'adulte tient ses promesses. Si c'est le cas, il est alors perçu comme un être fiable et sécurisant. C'est à cette condition que l'enfant en arrive à intérioriser le sentiment de confiance qui, seul, peut lui inspirer de l'espoir en l'avenir.

Le délai entre le besoin exprimé par l'enfant et la satisfaction de ce besoin par le parent est important. En effet, si ce délai est trop long, la frustration peut amener l'enfant à renoncer à la satisfaction ou à ne plus y croire. Par contre, si le délai est trop court ou lorsque la réponse aux besoins de l'enfant est immédiate, il n'apprend ni à attendre ni à espérer. Savoir quand satisfaire le besoin au bon moment ne peut se faire que s'il y a une bonne compréhension des besoins et des réactions de l'enfant.

Pour insuffler un sentiment de confiance à l'enfant, il faut aussi lui faire confiance. En effet, le parent ou l'éducateur doit croire aux capacités d'adaptation de l'enfant. Il lui appartient de le soutenir dans ses initiatives, de valoriser ses apprentissages et de le protéger sans le surprotéger.

Le sentiment de confiance qui se manifeste chez l'enfant par des états de détente, de bien-être et d'optimisme est, en quelque sorte, le résultat d'une contagion. En effet, les parents et les éducateurs doivent d'abord se faire eux-mêmes confiance avant de pouvoir transmettre ce sentiment à l'enfant. Dans cette optique, il est important qu'ils apprennent à gérer leur propre stress et à réduire leurs doutes quant à leurs compétences éducatives s'ils veulent transmettre un sentiment de sécurité et de confiance aux enfants. En d'autres mots, nous pouvons dire qu'ils doivent d'abord s'occuper d'eux-mêmes pour que les enfants puissent en profiter.

Des suggestions pour aider l'enfant à combattre le stress

- Le bruit est l'une des principales causes de stress. Il faut donc en identifier les principales sources et les éliminer au maximum.

- Les espaces trop restreints provoquent chez les enfants des interactions agressives qui en insécurisent plusieurs. Chaque enfant devrait avoir suffisamment d'espace pour jouir d'une liberté d'action et avoir la chance de disposer d'un espace personnel où il peut se retirer quand la tension est trop forte.

- Il importe de limiter le stress dans les périodes de changement. En général, surtout en ce qui concerne les jeunes enfants, il faut réduire au minimum la fréquence des changements qui peuvent survenir au cours d'une période de six mois. Par exemple, dans le cas d'une séparation, les parents doivent éviter de déménager l'enfant, de le changer de milieu de garde ou d'école, et de le priver de ses amis et des activités parascolaires auxquelles il participe habituellement.

- Beaucoup trop d'enfants vivent un stress de rendement ou de performance. Ils ont souvent un horaire surchargé et ils se croient obligés d'être des symboles de réussite pour les adultes. Mieux vaut respecter le rythme d'apprentissage de chaque enfant.

- On doit apprendre à l'enfant à aller chercher de l'aide et à exprimer sa peur et sa colère.

- Il est important de lui accorder des temps libres afin qu'il puisse donner libre cours à son imaginaire et s'amuser pour se détendre.

- L'exercice physique est un très bon moyen de gérer le stress. La relaxation, la musique et les exercices d'imagerie mentale aident également à se détendre.

- Le rire, comme le fait de courir, de chanter ou de lire, est un véritable anti-stress.

- Il faut aider l'enfant à mobiliser ses énergies positivement, c'est-à-dire à fuir ce qu'il ne peut changer et à combattre, en faisant appel à ses capacités adaptatives, ce qui est à sa mesure.

- Tous les parents ont généralement trouvé des moyens pour combattre le stress; ils doivent en faire profiter leurs enfants.

- Le stress étant contagieux, le parent ou l'éducateur doit veiller à réduire le sien.

Les signes observables d'un sentiment de confiance chez l'enfant

Les enfants qui vivent un bon sentiment de confiance manifestent la majorité des attitudes et des comportements suivants:

- ils sont confiants face aux adultes qu'ils connaissent;
- ils sont capables de se détendre physiquement;
- ils sont capables d'accepter les contacts physiques;
- ils sont capables de s'adapter au stress;
- ils sont capables de demeurer calmes face à une blessure physique;
- ils sont capables de demeurer calmes face à un malaise physique;
- ils sont capables de tolérer des délais;
- ils sont capables d'anticiper du plaisir;
- ils sont capables de réagir positivement à une nouveauté;
- ils sont capables de prendre des risques calculés;
- ils sont capables de représentation mentale du temps;
- ils sont optimistes face à l'avenir;
- ils sont capables de comprendre et d'accepter le sens des règles;
- ils sont capables de répondre positivement aux règles.

Les attitudes parentales favorisant un sentiment de confiance chez l'enfant

- garantir une stabilité à l'enfant par un horaire régulier ;
- lui offrir un cadre de vie stable dans l'espace et dans le temps ;
- établir des routines et des rituels fixes ;
- être stable ou fiable dans les réponses à ses besoins physiques ;
- être stable ou fiable dans la réponses à ses besoins affectifs ;
- lui garantir une sécurité physique en éliminant les sources de danger ;
- réserver du temps pour s'amuser avec l'enfant ;
- lui offrir sécurité et affection quand il est malade ou blessé ;
- tenir ses promesses ;
- doser les délais entre ses désirs et la satisfaction de ceux-ci ;
- éviter les écarts excessifs d'humeur ;
- établir des règles de conduite sécurisantes ;
- être constant dans l'application des règles de conduite ;
- imposer des conséquences logiques et naturelles à la suite d'un manquement aux règles de conduite ;
- réduire le plus possible les facteurs de stress en préparant l'enfant aux changements ;
- offrir à l'enfant des façons de réduire son stress par des activités de relaxation.

CHAPITRE 3

FAVORISER LA CONNAISSANCE DE SOI

▼

Au cours de ses premières années de vie, l'enfant apprend graduellement à se distancer des personnes qui ont de l'importance à ses yeux et à se différencier d'elles. C'est ce qu'on appelle le processus de séparation-individualisation à partir duquel l'enfant en arrive à mieux se connaître et à construire un concept de soi qui sera à la base de son identité. Il se découvre comme un être unique au monde et il acquiert les éléments de base de la connaissance de soi—un concept de soi—qui se transformera plus tard en un sentiment d'identité dont la synthèse se réalisera à l'adolescence.

Le concept de soi

Grâce à ses expérimentations et aux apprentissages qu'il réalise, grâce aussi aux rétroactions des personnes de son entourage, l'enfant apprend à connaître son milieu et sa propre personne. Au fil des expériences qu'il vit, il en vient à définir ses caractéristiques physiques, ses besoins et sentiments ainsi que ses capacités physiques, intellectuelles et sociales. C'est cet ensemble d'éléments qui constituent le concept de soi, qui, selon le *Dictionnaire actuel de l'éducation*, est « l'ensemble des perspectives et des croyances qu'une personne a d'elle-même, ainsi que des attitudes qui en découlent*».

La connaissance de soi ou le concept de soi se transforme peu à peu en un sentiment d'identité, à partir duquel se développe l'estime de soi. Pour éprouver un bon sentiment d'identité, l'enfant doit posséder une connaissance réaliste de ses capacités, de ses difficultés comme de ses limites, et savoir de quelle manière il est perçu par les autres. Cette connaissance, la plus réaliste possible, n'est possible que s'il nourrit des sentiments positifs envers lui-même.

L'enfant doit apprendre à se connaître (concept de soi et d'identité) avant de pouvoir se reconnaître. C'est sur la base de la connaissance de soi que l'enfant en vient à intérioriser le sentiment de sa valeur personnelle (estime de soi).

La connaissance de soi se développe chez l'enfant grâce à ses interactions avec les autres. Elle est largement influencée par les personnes qui gravitent autour de lui et qu'il juge importantes. C'est en présence de ces personnes que l'enfant réalise une multitude d'activités physiques, sociales et intellectuelles au cours desquelles il développe des habiletés dont il devient peu à peu conscient.

La connaissance de soi et l'identité personnelle qui en résulte constituent les fondements de l'estime de soi. Elles font naître chez l'enfant le sentiment d'être unique au monde et de pouvoir obtenir l'estime des autres. C'est en se percevant différent des autres que l'enfant découvre peu à peu son caractère unique.

---

* Legendre, Reynald. Op. cit.

Se connaître en constatant ses différences par rapport aux autres

Chaque enfant, à la naissance, possède des caractéristiques particulières. Chacun a des traits de caractère qui lui sont propres, exprime à sa façon des besoins à combler et se développe selon un rythme qui est le sien. Par ses actions, ses réactions, ses besoins et ses sentiments, chaque enfant démontre qu'il est différent des autres enfants et de ses parents.

C'est en constatant ses différences par rapport aux autres personnes qu'un enfant prendra connaissance de ce qu'il est et développera un sentiment d'identité personnelle. En effet, si une personne se sent pareille en tous points à quelqu'un d'autre, elle ne peut percevoir sa propre identité. L'enfant doit donc savoir ce qui le distingue des autres. Il doit prendre conscience qu'il n'a pas les mêmes traits physiques ni morphologiques que les autres, qu'il possède un ensemble d'habiletés physiques, intellectuelles et sociales qui lui sont propres et qu'il manifeste des traits de caractère particuliers. Ce sont ces différences, qu'il découvre graduellement, qui l'amènent à se percevoir comme une personne unique.

Dans cette quête d'identité, l'enfant prend également conscience qu'il possède aussi des habiletés que d'autres enfants partagent et qu'il a des réactions ou certains traits de caractère que ses camarades ont également. C'est cette perception équilibrée des différences et des ressemblances par rapport aux autres qui amène l'enfant à une bonne connaissance de soi.

L'enfant a besoin qu'on l'apprécie pour ce qu'il est : avec sa propre identité en devenir et surtout avec toutes ses différences. Accepter les différences, c'est se donner le droit d'exister en tant qu'individu unique. Il ne s'agit pas d'une entreprise facile ; l'histoire de l'humanité regorge de témoignages montrant que les sociétés tolèrent difficilement les différences individuelles et collectives.

Les différences entre individus créent une distance qui permet de rompre la fusion ou la symbiose. Si on n'accepte pas que l'autre soit différent, on rejette sa propre identité et son droit d'exister comme individu unique.

Quatre attitudes, qui vont de la plus primitive à la plus évoluée, traduisent les attitudes des humains face à la différence. D'abord, on peut rejeter les différences de l'autre parce qu'elles paraissent menaçantes ou parce qu'elles s'opposent à nos habitudes et à nos valeurs. Il s'agit d'un rejet total de l'autre qui n'a rien de comparable avec le rejet légitime d'un comportement inacceptable. Une autre attitude consiste à tolérer les différences chez une autre personne. Cette attitude est un peu plus évoluée, mais indique tout de même que l'autre n'est toujours pas accepté dans sa totalité, les différences étant perçues comme un mal nécessaire. Une troisième attitude, qui consiste celle-là à accepter les différences de l'autre, est plus évoluée. Elle dénote qu'on accepte nos propres différences et qu'on est apte à accueillir celles de l'autre. Elle suppose aussi de l'empathie et le respect de l'autre qui est alors perçu comme ayant le droit d'être différent et unique. Finalement, l'attitude la plus évoluée consiste à estimer l'autre avec ou en dépit de ses différences.

Pour estimer une autre personne, il faut avoir une relation significative avec elle ; une relation d'attachement et de complicité qui confère une valeur à l'autre. Estimer l'autre veut dire l'apprécier dans son être fondamental ainsi que dans son apparence et son rendement (le paraître). Cela suppose qu'on porte des jugements positifs sur sa personnalité et son fonctionnement et que ceux-ci sont guidés par la relation d'amour et de complicité qu'on entretient avec cette personne. Cette dernière, par contre, peut avoir des attitudes et des comportements qui nous déplaisent et qui peuvent provoquer des sentiments négatifs; mais l'amour et l'estime qu'on éprouve pour lui transcendent ces différences déplaisantes.

De l'enfant rêvé à l'enfant réel

Avant la naissance de leur enfant, tous les parents s'en font une image. Cette représentation du futur enfant est peuplée de rêves, de désirs et d'attentes qui sont propres à chaque parent. L'enfant, par exemple, sera beau, souriant, intelligent et sociable. Cette image de l'enfant à venir constitue l'enfant rêvé. Elle est naturelle et légitime. Mais comment se forme l'image de l'enfant rêvé?

L'enfant rêvé est souvent l'enfant qu'on aurait voulu être. Il a inconsciemment le destin de réaliser les rêves du parent, de combler ses lacunes ou, parfois, d'être son prolongement narcissique. Il est tout à fait normal d'avoir des attentes face à l'enfant à venir. Mais il est important qu'elles soient réalistes. La vie est porteuse de surprises agréables et d'insatisfactions qu'on ne peut pas toujours prévoir. L'enfant rêvé vit dans l'imaginaire tandis que l'enfant réel, lui, existe concrètement. Il nous apporte des joies comme des déceptions. Le parent qui a des attentes trop élevées court le risque d'être désappointé et de centrer davantage son attention sur des aspects négatifs ou sur les défauts de son enfant réel.

Les adultes, parents et enseignants, ont beaucoup d'attentes envers les enfants. Pourquoi attachons-nous tant d'importance au rendement, à la «performance», et pourquoi suivons-nous le développement de l'enfant à la loupe? Est-ce que cela traduit notre espérance de pouvoir tout recommencer et notre espoir de tout réussir à travers lui? Cette attitude est néfaste, car l'enfant, s'il nous ressemble, est aussi différent.

Un enfant veut avant tout être aimé et il est prêt à faire bien des choses pour y arriver, même à renier sa nature profonde. L'enfant qui n'est jamais satisfait de lui-même, qui se critique, détruit ses dessins et panique s'il n'obtient pas la meilleure note à l'école, est convaincu qu'il ne peut être aimé qu'en étant parfait. Il croit qu'il est toujours en deçà de ce qu'on attend secrètement de lui et il peut facilement développer des symptômes liés au stress de performance (maux de cœur, de ventre, insomnie, etc.) et des sentiments dépressifs, et ce, même si le parent n'exprime pas ouvertement ses attentes.

Trop de parents et d'enseignants, perfectionnistes et intransigeants envers eux-mêmes et les enfants, ont tendance à fixer leur attention sur les difficultés et les imperfections et à oublier les capacités et les qualités. En éducation, il faut faire le deuil de son perfectionnisme, oublier l'enfant rêvé pour investir l'enfant réel. Il est important d'avoir des attentes face à son enfant, mais celles-ci doivent être conformes aux intérêts, aux capacités et au rythme de développement particuliers de l'enfant.

Les parents ont tendance à ne pas prendre le temps de regarder les enfants *comme ils sont*, préférant s'attarder à *ce qu'ils font*. Or, il faut observer son enfant et trouver ses forces dans tous les domaines : physique (force, souplesse, endurance, etc.), intellectuel (curiosité, jugement, mémoire, raisonnement, etc.), social (facilité à se faire des amis, capacité de partager, de s'affirmer, etc.) et personnel (générosité, organisation, imagination, etc.). Les parents se limitent trop souvent à un ou deux aspects qu'ils valorisent, sans se demander si ce sont bien ceux qui décrivent le mieux l'enfant réel dans sa totalité.

Tout éducateur doit aussi tenir compte des difficultés que l'enfant rencontre. Dans la perspective du développement de l'estime de soi, on ne doit pas considérer les difficultés comme des limites ou des handicaps. Au contraire, toute difficulté doit être vue comme étant temporaire et comme un défi à relever. L'éducateur doit aider l'enfant à vaincre la difficulté ; il doit lui dire et lui faire comprendre qu'il a la capacité de le faire s'il utilise des bons moyens et persévère dans ses efforts. Ce faisant, il lui démontre qu'il a confiance en ses capacités ; cela encourage l'enfant et lui donne de l'espoir. Si le parent ou l'enseignant n'a pas d'attentes face à l'enfant, ce dernier interprétera cette attitude comme une confirmation qu'il n'est pas capable de relever des défis ni de s'améliorer.

Valoriser l'enfant

Dans le but de comprendre et de maîtriser son environnement physique et humain, l'enfant évolue vers une autonomie de plus en plus grande grâce à de multiples apprentissages qui s'intègrent les uns aux autres et qui vont des plus simples aux plus complexes. Il est normal que certaines des tentatives de l'enfant soient heureuses alors que d'autres ne donnent pas les résultats escomptés.

Développer l'estime de soi, c'est permettre à l'enfant d'actualiser ce qu'il y a de meilleur en lui. Pour cela, il est important que le parent ou l'enseignant donne à l'enfant des rétroactions positives quand celui-ci connaît des succès, même petits. C'est de cette façon que l'enfant en arrive à être conscient de ses capacités et de ses qualités ; cela le confirme dans sa valeur et lui donne de l'espoir face aux autres défis à relever. Pour l'enfant, ce n'est pas tant son rendement réel qui compte dans une activité par rapport à la connaissance de soi que la manière dont il perçoit les réactions des adultes qu'il juge importants. Les réactions positives demeurent dans sa mémoire vive et lui procurent le sentiment permanent de sa valeur personnelle. C'est grâce à ces rétroactions régulières que l'enfant, vers l'âge de 7 ou 8 ans, intériorise les messages positifs et le sentiment de sa valeur personnelle et qu'il peut continuer à nourrir son estime de soi par son monologue intérieur.

L'enfant n'est pas uniquement un être d'action. L'adulte doit également l'apprécier pour ce qu'il est. Or, notre société véhicule une obsession du rendement et de la performance qui fait que beaucoup trop d'enfants, qui ne parviennent pas à répondre à ces exigences, se sentent dévalorisés. Ces mêmes enfants possèdent souvent une grande intelligence du cœur qui se manifeste par la sensibilité à l'autre et la générosité. Mais ces qualités sont loin d'être suffisamment valorisées. Il est donc essentiel que tout enfant se sente aimé et estimé autant pour ce qu'il est que pour ce qu'il fait.

Cultiver l'empathie

Les besoins du tout-petit s'expriment de façon motrice ou somatique. Par contre, à 3 ans, si l'enfant a besoin d'attention, il peut très bien décider de courir autour de la table de la cuisine uniquement pour qu'on s'occupe de lui. Son besoin d'attention est réel, mais sa façon de l'exprimer est inadéquate. Autrement dit, selon la phase de développement qu'il traverse, l'enfant exprime ses besoins de différentes façons et avec une habileté plus ou moins grande. Il est donc important que l'éducateur décode ce qui est inobservable, soit le sentiment ou le besoin sous-jacent au comportement, en améliorant sa capacité d'empathie.

L'empathie est un mode de connaissance intuitive d'autrui qui repose sur une attitude de compréhension, de respect et d'acceptation de l'autre. Grâce à sa capacité d'empathie et d'intuition ainsi qu'à la connaissance profonde de son enfant, même dans son comportement non verbal, le parent est capable de décoder les sentiments et les besoins de son enfant et de les exprimer pour lui (par exemple : « Ça te fâche quand tu ne réussis pas du premier coup » ou « Ça te rend nerveux quand il y a quelque chose de nouveau »). Ainsi, l'enfant en prend conscience, se sent compris et apprend à les manifester adéquatement.

Le parent doit faire confiance à son intuition et amener l'enfant à être conscient de ce qui est sous-jacent à son comportement, que cela soit agréable ou non. Cette prise de conscience peut se faire verbalement ou par l'intermédiaire de dessins ou de jeux symboliques. Peu à peu, l'enfant en arrive à établir des liens entre ses besoins, ses sentiments et ses comportements. Plus un enfant est conscient de ses sentiments et de ses besoins, plus il lui est facile de les exprimer adéquatement.

Ce qui nuit à l'estime de soi

La négligence

L'enfant qui n'est pas investi par ses parents ou pour lequel les parents n'ont ni désirs ni attentes vit dans un désert affectif. C'est le cas d'un trop grand nombre d'enfants qui souffrent de l'absence de parents occupés par d'innombrables activités et qui, par voie de conséquence, n'ont pas assez de temps à leur consacrer. Dans une telle situation, l'enfant se dit qu'il ne lui sert à rien de faire des efforts, puisque ça ne vaut pas la peine qu'on s'occupe de lui. Tout enfant doit avoir la certitude d'être important pour quelqu'un.

Une éducation « négative »

L'éducation que la majorité des adultes d'aujourd'hui ont reçue était caractérisée par la recherche des lacunes et des fautes. Elle a été largement conditionnée par des messages négatifs qui empêchent souvent les parents de voir le bon côté des choses et de souligner les gestes positifs des enfants. Elle a donné aux adultes des réflexes bien ancrés en eux qui se manifestent par des remarques semblables à : « Il ne marche toujours pas à un an », « Il ne connaît pas son alphabet malgré des mois de répétition », « Il est toujours de mauvaise humeur », « Il ne range jamais sa chambre ». Les toujours et les jamais rendent les enfants impuissants et les empêchent de changer.

Les mots qui blessent

Dans le mot « violence », il y a le mot « viol ». La violence verbale constitue un viol de l'amour-propre ou de la dignité de la personne et perturbe gravement l'estime de soi. Il y a des mots qui sont comme des caresses, mais il y en a d'autres qui blessent profondément. Il est donc très important de parler de façon respectueuse à un enfant ; si l'on veut qu'il développe le respect de lui-même, il doit se sentir respecté par les autres. Les petits sobriquets à connotation négative, même s'ils sont verbalisés sans agressivité, finissent par nourrir le monologue intérieur de l'enfant et lui donner le sentiment d'avoir moins de valeur que les autres. Les critiques négatives et fréquentes, les remarques acerbes, les jugements à l'emporte-pièce sont autant de coups portés à l'enfant.

Il convient de souligner que la majorité des adultes qui utilisent un langage blessant envers les enfants ont été eux-mêmes victimes de ce procédé durant leur enfance. Cette transmission d'une génération à l'autre, qui sape l'estime de soi, doit être arrêtée. D'autant plus que la frontière qui sépare la violence verbale de la violence physique est souvent bien mince.

L'identité négative

En règle générale, le comportement de l'enfant reflète la façon dont il se perçoit. Dans sa quête de connaissance de lui-même, il adopte diverses attitudes et fait d'innombrables expérimentations en observant les réactions des adultes. D'ailleurs, c'est à partir de leurs rétroactions que l'enfant adopte des comportements valorisés par son entourage et qu'il abandonne ceux qui ne le sont pas. Mais tout dépend encore ici de la façon dont il est investi par les personnes qu'il juge importantes. En effet, s'il découvre que la façon la plus efficace d'attirer l'attention est d'avoir des comportements inadéquats, il aura tendance à les répéter.

Toute personne, à l'exception de celles qui souffrent d'une grave psychopathologie (autisme, psychose, etc.), se construit une identité qui est soit positive soit négative. Lorsqu'un enfant reçoit des rétroactions négatives à répétition, il intériorise une image négative de lui-même et l'intègre à son identité. Il adopte des attitudes, fait des gestes et s'exprime en conformité avec son sentiment d'identité. S'il a intériorisé une identité néga-tive, il a tendance, par répétition compulsive, à la confirmer et à la défendre par un comportement négatif.

Prenons, à titre d'exemple, la question de l'hyperactivité qui, comme telle, ne compromet pas l'avenir d'un enfant. Mais si l'enfant hyperactif reçoit une multitude de rétroactions négatives, il développera une identité négative. L'enfant qui se fait dire sans arrêt de se tenir tranquille, d'arrêter de bouger et de rester à sa place en arrive à se croire « méchant ». Pour lui, son être est essentiellement mauvais et il répète des com-portements négatifs pour confirmer cette méchanceté. Pensons également à un enfant qui manifeste souvent un problème d'adaptation et qui a intériorisé une image négative de lui-même. Si on lui dit qu'il a bien réussi une activité et qu'on est fier de lui, il est fort possible qu'il devienne aussitôt perturbateur. Dans cette situation, il ne peut conserver le sou-venir d'être bon ; inconsciemment, il doit annuler ce souvenir pour défendre son identité même si celle-ci est négative.

Car un être humain ne peut pas se retrouver sans identité ; c'est comme s'il perdait le sens de sa propre existence.

Par le développement de l'estime de soi, on peut amener l'enfant perturbateur à intérioriser graduellement des images positives de lui-même et surtout à les conserver. Pour y parvenir, il faut planifier des stratégies qui l'empêchent de démolir systématiquement les rétroactions positives. Par exemple, au moment du coucher, on peut rappeler à l'enfant trois comportements positifs qu'il a eus durant la journée et quitter immédiatement la chambre pour éviter que celui-ci annule ces rétroactions. De cette façon, les derniers messages de la journée qu'il reçoit sont positifs. Avec le temps, ils vont s'imprégner dans sa mémoire et son inconscient, et il parviendra à être moins perturbateur. Lorsque l'enfant est plus âgé, l'adulte peut lui expliquer pourquoi il manifeste un comportement négatif quand il reçoit des félicitations. Cette explication qui s'appuie sur la capacité d'empathie de l'adulte ne doit contenir aucun jugement négatif ; de plus, elle peut amener l'enfant à prendre conscience de l'existence d'un lien entre son sentiment et son comportement négatif et lui faire décider de changer.

Les parents et les éducateurs doivent être sensibles à la dynamique des enfants porteurs d'une identité négative. On assiste souvent à un combat impitoyable entre le bon et le méchant enfant et l'adulte doit savoir que le bon enfant est toujours présent malgré ses comportements perturbateurs.

Les signes observables d'une bonne connaissance de soi

Il ne faut pas s'attendre à ce qu'un jeune enfant acquiert une très grande connaissance de soi et développe le sentiment complet de son identité personnelle. C'est là, en effet, le travail de toute une vie ! Mais l'enfant peut toutefois manifester à l'occasion et de façon variable la majorité des attitudes et des comportements suivants :

- il est capable de reconnaître en lui-même une habileté physique ou une difficulté de cet ordre ;
- il est capable de reconnaître en lui-même une habileté intellectuelle ou une difficulté de cet ordre ;
- il est capable de reconnaître en lui-même une habileté relationnelle ou une difficulté de cet ordre ;
- il est capable de reconnaître en lui-même une habileté créatrice ou une difficulté de cet ordre ;
- il est capable de déterminer ce qui le différencie des autres ;
- il est capable de s'affirmer ;
- il est capable de déterminer les raisons pour lesquelles les autres l'aiment ;
- il est capable de faire des choix ;
- il est capable d'exprimer ses goûts et ses idées ;
- il est capable d'exprimer ses sentiments ;
- il est capable d'exprimer ses besoins ;

- il est capable d'avoir de plus en plus conscience des liens qui existent entre ses besoins, ses sentiments et son comportement;
- il est capable de se faire respecter;
- il est capable d'assumer de petites responsabilités qui sont adaptées à son âge;
- il est capable de conserver le souvenir de petits succès passés.

Les attitudes parentales favorisant la connaissance de soi

Les parents doivent adopter des attitudes et des moyens qui sont susceptibles de favoriser la connaissance de soi chez leur enfant. Ils doivent donc chercher à :

- tisser une relation d'attachement et de complicité ;
- reconnaître et accepter les différences entre leur enfant et les autres enfants ;
- faire le deuil de l'enfant rêvé ;
- proposer des objectifs réalistes tant sur le plan des apprentissages que sur celui du comportement ;
- faire preuve d'empathie et de chaleur humaine ;
- utiliser un langage respectueux ;
- se centrer sur les forces, les qualités et les compétences ;
- donner régulièrement des rétroactions positives ;
- amener l'enfant à prendre conscience qu'il est unique au monde par ses caractéristiques corporelles ainsi que par ses qualités et compétences particulières ;
- favoriser l'affirmation et l'autonomie ;
- aider l'enfant à prendre conscience de ses besoins et de ses sentiments et à les exprimer adéquatement ;
- amener l'enfant à prendre un peu conscience des liens qu'il y a entre ses besoins, ses sentiments et ses comportements ;
- souligner les difficultés rencontrées et aider à les surmonter ;
- blâmer le comportement inacceptable et non pas l'enfant.

Il serait illusoire de s'attendre à ce que les parents adoptent toutes ces attitudes et utilisent tous ces moyens avec continuité. Toutefois, il importe qu'ils s'interrogent régulièrement sur la qualité de la relation qu'ils tissent avec leur enfant. L'estime de soi d'un enfant est très influencée par le climat relationnel dans lequel il vit.

CHAPITRE 4

FAVORISER UN SENTIMENT D'APPARTENANCE

▼

L'être humain est social et grégaire de nature. Il a besoin d'appartenir à un groupe, de se relier à autrui, de sentir qu'il est rattaché à un réseau relationnel. L'enfant ne fait pas exception et son besoin de faire partie d'un groupe augmente au fur et à mesure qu'il grandit.

Les parents ont sur leurs enfants d'âge préscolaire plus d'influence que les amis. Plus tard, lorsque les enfants ont entre 6 et 10 ans, leur influence est aussi grande que celle des amis mais, durant l'adolescence, elle perd de l'importance. À mesure que les enfants se socialisent, l'influence qu'ont leurs parents sur eux régresse ; par contre, il est certain que l'héritage parental reste toujours vivant.

Vers des attitudes prosociales

Au cours de ses premières années, l'enfant vit avec ses parents une profonde relation d'attachement qui constitue en quelque sorte le noyau primitif de son estime de soi. En vieillissant et en s'ouvrant au monde social, il cherche à vivre d'autres relations et à acquérir, en particulier avec ses camarades, une première conscience de sa valeur. Le sentiment d'appartenance ne peut se vivre qu'avec le développement de la socialisation.

Le rythme auquel la socialisation se fait est propre à chaque enfant; mais il y a toujours des progressions subites, des périodes de stagnation et même parfois des régressions temporaires.

Dès l'âge de 2 ans, l'enfant adore être avec des petits comme lui, même s'il ne peut pas vraiment jouer avec eux. Il aime leur présence. Vers 4 ans, il réclame à grands cris des amis. Même le parent le plus patient et le plus disponible ne peut constituer un ami aussi merveilleux qu'un autre enfant. Se tirer le cheveux, s'arracher un jouet, apprendre à négocier et à partager, cela contribue grandement au bien-être intérieur de l'enfant.

Pour arriver à vivre pleinement un sentiment d'appartenance, il faut un long apprentissage d'habiletés, de collaboration et de coopération. L'enfant d'âge préscolaire n'a pas réalisé cet apprentissage et, de plus, il ne peut pas posséder rapidement et entièrement les habiletés sociales qui favorisent l'appartenance à un groupe; en effet, il est incapable de faire preuve, d'entrée de jeu, d'altruisme et de coopération. Il est encore beaucoup trop égocentrique et il ne peut se livrer qu'à des activités de « co-opération » et à des monologues qu'on appelle collectifs parce qu'ils ont lieu en présence des autres mais sans tenir compte d'eux.

Pour être capable d'une véritable coopération ou d'un vrai dialogue, l'enfant doit avoir intégré une structure mentale de réciprocité. Ce n'est qu'à ce moment qu'éclate l'égocentrisme et qu'il devient possible pour l'enfant de considérer les besoins, les opinions et les sentiments des autres tout en les arrimant aux siens. L'enfant d'âge préscolaire n'a pas encore acquis cette capacité, mais il faut le stimuler en ce sens. En premier lieu, il faut profiter de sa tendance à jouer avec un autre enfant, en dyade, pour l'aider à développer des attitudes prosociales. Ensuite, on peut l'aider à généraliser cette tendance en l'appliquant à un plus grand nombre de camarades.

Faire éclater l'égocentrisme

L'enfant, avant l'âge de 7 ou 8 ans, ne comprend pas que les autres peuvent avoir des points de vue différents des siens. En effet, il est très centré sur ses besoins immédiats et ses opinions ont force de loi. Cette attitude l'empêche de bien coopérer avec les autres. Voici les principales caractéristiques d'égocentrisme de l'enfant de cet âge.

- « Être centré sur son point de vue ou sur ses perceptions immédiates.

- Avoir de la difficulté à percevoir et à considérer les besoins et les points de vue des autres.

- Attribuer la responsabilité de ses erreurs aux autres et aux circonstances.

- Avoir une pensée rigide, c'est-à-dire avoir de la difficulté à nuancer ses propos et à remettre en question ses jugements.

- Être insensible à ses propres contradictions.

- Avoir tendance à porter des jugements en ne tenant compte que d'un seul aspect de la réalité.

- Généraliser facilement à partir d'un seul élément ou d'une seule perception.

- Avoir des comportements sociaux stéréotypés.

- Utiliser une seule stratégie devant une difficulté.

- Faire peu d'auto-évaluation et, conséquemment, avoir de la difficulté à corriger ses réponses et ses actes.* »

---

* Duclos, Germain, Danielle Laporte et Jacques Ross. *Les besoins et les défis des enfants de 6 à 12 ans : vivre en harmonie avec des apprentis sorciers.* Saint-Lambert, Québec : Les éditions Héritage, 1994, p. 99.

Si on considère que de nombreux adultes qui paraissent matures manifestent des signes évidents d'égocentrisme, on comprend que se défaire de cette attitude n'est pas une tâche facile.

En acquérant la capacité de réciprocité, qui survient avec l'avènement de la pensée logique, l'enfant en vient à percevoir et à considérer les points de vue des autres. Pour devenir membre d'un groupe, il doit apprendre à tenir compte des opinions et des besoins des autres membres du groupe et assumer des responsabilités face à eux. Afin de lui permettre de se dégager de son égocentrisme, de coopérer et de vivre un sentiment d'appartenance à un groupe, il faut l'amener à être sensible à l'autre. Quand l'enfant a appris à reconnaître ses propres besoins et sentiments, il faut l'aider à percevoir également ceux que les autres manifestent par leurs paroles, leurs gestes et leurs attitudes non verbales.

Une des tâches de l'adulte consiste à inciter l'enfant à tenir compte d'autrui et à le féliciter quand il démontre des capacités de collaboration et d'écoute. Il importe aussi de l'amener à comprendre et à reconnaître les circonstances où il doit agir en tant que membre d'un groupe. Cette sensibilité aux autres — cette conscience sociale — se concrétise vraiment par la transmission des valeurs de générosité et d'entraide. Ainsi, il faut inviter régulièrement l'enfant à se décentrer de ses besoins immédiats pour partager ses objets ou aider un camarade.

Des projets de groupe

Le sentiment d'appartenance à un groupe ne se crée pas magiquement. Les enfants ne peuvent vivre ce sentiment que s'ils ont l'occasion de participer à des activités collectives. Un groupe ne se résume pas à une addition d'individus, mais il se définit plutôt par la qualité et la fréquence des relations entre ses membres dans la poursuite d'objectifs communs. Les projets de groupe auxquels chaque enfant apporte une contribution personnelle sont essentiels au développement.

Le groupe d'enfants devient une importante source de rétroactions positives et rehausse l'estime de soi de l'enfant. La participation active de chacun et le respect des consignes ou des règles sont des conditions essentielles pour faire partie d'un groupe. C'est grâce à la mise en commun d'actions positives dans le cadre d'un projet collectif que l'entraide est vraiment vécue. Le rôle de l'adulte dans ce domaine est central. Il doit inviter chaque enfant à encourager ses camarades, à les féliciter et à leur rendre service quand ils en ont besoin.

Le sentiment d'appartenance se développe chez l'enfant lorsqu'il se sent estimé par les autres, c'est-à-dire quand on lui signale qu'il est unique et qu'il apporte une contribution importante à l'ensemble du groupe. La conscience d'appartenir à un groupe se développe chez l'enfant lorsqu'on lui fait assumer des responsabilités au profit de tous. Il importe que ces tâches soient adaptées aux capacités de l'enfant et qu'elles soient assumées à tour de rôle de façon que chacun contribue au bon fonctionnement du groupe.

Le groupe familial

Le premier sentiment d'appartenance d'un enfant se manifeste vis-à-vis sa famille qui constitue sa première niche sociale. C'est dans sa famille que l'enfant s'initie à la vie en société. De là l'importance des liens étroits entre les membres de la famille et d'une bonne cohésion familiale. C'est grâce au soutien des membres de sa famille que l'enfant parvient à dépasser son égocentrisme et à tenir compte des autres. Il apprend ainsi à communiquer, à s'affirmer, à assumer des responsabilités, à respecter les règles établies et à partager.

Les relations que l'enfant entretient à l'intérieur de la fratrie lui fournissent l'occasion de résoudre des conflits de rivalité et de compétition. La fratrie est le premier groupe où se vivent des échanges, des négociations et des antagonismes. Actuellement, près de la moitié des enfants sont uniques. Ceux-ci ne connaissent évidemment pas les affres ni les joies de la fratrie mais, pour la plupart, ils font partie d'un groupe, que ce soit dans un milieu de garde ou à l'école.

La famille, premier noyau d'appartenance de l'enfant, conditionne ou influence beaucoup sa capacité future d'adaptation. À cause des liens d'attachement, l'enfant s'identifie d'abord aux valeurs véhiculées par son milieu familial. Ainsi, lorsqu'il y a divergence de valeurs entre le milieu scolaire et la famille, l'enfant a tendance à adhérer aux valeurs transmises par la famille.

Le sentiment d'appartenance de l'enfant à sa famille grandit quand on lui relate l'histoire et les traditions de la famille élargie (grands-parents, oncles, tantes, cousins, cousines, etc.). De plus, toute famille vit des valeurs particulières, des traditions, des événements spéciaux, des anecdotes. L'enfant informé de son histoire familiale se rend compte qu'il a des racines et qu'il se situe dans une continuité.

On ne peut créer un sentiment d'appartenance sans projet de groupe. La famille n'échappe pas à cette nécessité. Il est donc très important qu'elle organise des activités collectives ou des projets auxquels chacun peut contribuer. Cela réduit sensiblement le sentiment de solitude chez l'enfant.

Le groupe scolaire

À l'âge scolaire, le groupe d'amis du même sexe prend un sens nouveau. Malgré les tentatives faites pour éliminer les stéréotypes et la discrimination sexuelle, il demeure que les garçons font des activités de garçons et les filles, des activités de filles. En fait, chacun a besoin de définir clairement son identité sociale, et cela se fait essentiellement en se comparant et en jouant des rôles bien définis.

Rendu à l'école, l'enfant veut élargir son cercle d'amis et se faire accepter par les membres d'un groupe. Les garçons sont surtout sensibles à l'approbation des autres garçons tandis que les filles sont davantage valorisées par les rétroactions positives des autres filles. Tant que l'enfant ne se sent pas accepté par un groupe, il craindra d'exprimer ses opinions, de prendre des initiatives ou de participer activement à des projets de groupe. Il aura peur de paraître ridicule ou d'être rejeté.

Plus tard, à l'adolescence, les groupes deviennent mixtes. Au cours de cette période, les jeunes éprouvent un besoin impératif d'appartenir à un groupe, car cela leur permet de se distancier des parents et de trouver leur propre identité.

Les enfants et les adolescents qui éprouvent des difficultés sociales, qui ne savent pas comment se faire des amis ou les garder, développent une mauvaise image d'eux-mêmes sur le plan social et se déprécient beaucoup. Des études ont démontré que les enfants de première année qui éprouvent des difficultés à se faire des amis et qui sont isolés risquent d'éprouver, à l'âge adulte, des problèmes sociaux. Il est donc important d'aider les enfants d'âge scolaire à développer des habiletés sociales et un sentiment d'appartenance.

Sentir que l'on fait partie intégrante d'un groupe, cela constitue un besoin inné chez l'enfant comme chez l'adulte. L'école, davantage qu'une institution d'enseignement, doit être un milieu où il fait bon vivre.

Vous souvenez-vous de vos années d'études à l'école primaire ? Si oui, il y a fort à parier que vos souvenirs soient surtout d'ordre social ou relationnel. En effet, les adultes à qui on pose cette question répondent très souvent qu'ils se souviennent de tel ou tel camarade ou d'événements importants comme les spectacles de fin d'année. Rares sont ceux qui se rappellent des contenus précis des programmes scolaires. Les bons moments, ceux qui sont nourris par des échanges humains remplis de chaleur, ont plus tendance à s'enregistrer dans la mémoire que les apprentissages purement didactiques.

Le sentiment d'appartenance à l'école est fondamental et contribue à prévenir l'abandon scolaire. Pour s'en convaincre, il n'y a qu'à penser aux jeunes qui protestent avec véhémence lorsqu'on leur annonce qu'ils vont déménager et changer de quartier; ils ne veulent pas changer d'école ni perdre leurs amis. Les enfants sont souvent plus conservateurs et plus attachés à leur milieu social que les adultes. Et ce phénomène est encore plus fort chez les adolescents.

L'école est un instrument privilégié pour favoriser le développement de la socialisation chez les enfants et pour que se forme un sentiment d'appartenance à un milieu. Cette mission de l'école est aussi importante que celle qui consiste à transmettre des connaissances.

Toute école doit refléter les valeurs, les habitudes et les normes de la population qu'elle dessert tout en assumant sa vocation éducative. L'élaboration du projet éducatif se fait autour des valeurs que partagent le personnel scolaire et les parents. De cette façon, l'école reste en harmonie avec la communauté dont elle fait partie au même titre que les autres organismes et institutions. C'est à ces conditions que les enfants et leurs parents peuvent se reconnaître en elle et s'y sentir bien.

Certaines écoles réussissent facilement à créer un climat où il fait bon vivre. À preuve, les vives protestations des parents et de la population d'un quartier ou d'un village quand on parle de fermer « leur » école. C'est comme si on arrachait quelque chose d'essentiel à leur réseau social.

Comment se manifeste le sentiment d'appartenance de l'enfant à son école ou quels sont les indices révélateurs de cette appartenance ? Le premier indice est un sentiment de bien-être et de détente de l'élève lorsqu'il est à l'école. L'enfant a hâte d'y aller et, en général, c'est avant tout pour rencontrer ses camarades et côtoyer les adultes qui y travaillent et qu'il aime. Il sent qu'il fait partie d'un groupe qui tire sa valeur de la fréquence et de la qualité des relations de complicité qui s'y vivent plutôt que de son nombre.

L'élève ressent également de la fierté à l'égard de son école. Il en parle souvent et il en vante les mérites. Gare à celui qui ose dénigrer son école ! De plus, il s'y sent responsable et utile. Il a la conviction qu'il joue un rôle important au sein du groupe par ses attitudes et que sa contribution personnelle n'est pas négligeable. Ce sentiment augmente son estime de soi.

Il se sent solidaire des autres et il est prêt à épauler ses compagnons lorsque le groupe fait face à une difficulté. Il participe activement aux activités, aux projets et aux décisions de son groupe d'amis et cela le valorise. Enfin, il respecte généralement l'ameublement et le matériel qui sont mis à la disposition de l'ensemble du groupe.

Certaines écoles ont su créer un bon sentiment d'appartenance chez les élèves et les parents. Les parents sentent que l'équipe-école a à cœur leur bien-être et celui de leurs enfants et qu'elle a au moins autant de complicité avec eux qu'avec les administrateurs de la commission scolaire.

Enfin, soulignons que le fait de créer un sentiment d'appartenance à l'école suppose aussi qu'on accepte les différences, dont celles que représentent les enfants et les parents d'ethnies diverses. L'école doit être ouverte à la diversité des richesses de l'humanité.

Le groupe d'amis

De nos jours, les enfants passent beaucoup de temps dans des groupes organisés (service de garde, école, loisirs, etc.) qui influent de façon certaine sur leur développement. Ces groupes sont donc importants et nécessaires, car ils fournissent des occasions de s'ouvrir et de s'adapter à une autre dynamique que celle du milieu familial et, par extension, à la société en général.

La pensée logique, qui fait son apparition vers l'âge de 7 ou 8 ans, fait éclater une bonne part de l'égocentrisme enfantin. L'enfant a accès dorénavant à la réciprocité des points de vue qui est à la base de l'empathie. N'étant plus uniquement centré sur la satisfaction de ses désirs, il peut tenir compte des sentiments, des opinions ou du point de vue de l'autre. Grâce à cette nouvelle capacité, une véritable coopération devient possible. L'enfant peut nouer des relations plus stables et électives à l'intérieur du groupe. Il peut développer, en même temps, un sentiment d'appartenance à sa petite communauté et il est en mesure de saisir les relations logiques et causales entre ses actions et leurs conséquences sur la vie du groupe. Il lui est donc possible d'ajuster ses apports en fonction d'un objectif collectif. Sa conscience sociale se développe de plus en plus.

Les interactions avec les pairs sont nécessaires à l'enfant. Sur le plan affectif, il a besoin de camarades comme modèles. Il acquiert plusieurs comportements nouveaux grâce à l'observation et à l'imitation des autres. Il se compare constamment à ses pairs pour évaluer ses habiletés, ses forces et ses limites. Il peut ainsi reconnaître ses propres capacités, ce qui constitue l'une des bases de l'estime de soi.

Durant cette période, l'enfant développe un sentiment d'appartenance à un groupe par le biais d'activités communes et partagées. Il complète les valeurs que lui ont transmises ses parents par celles que son groupe véhicule. Il est soucieux de se faire accepter par les autres en tant qu'individu qui peut apporter sa contribution personnelle. Il respecte les règles du groupe et il évite d'être rejeté par ses camarades. Ce sont les valeurs, les règles, les activités choisies et le sentiment d'être accepté et apprécié qui constituent les ingrédients du sentiment d'appartenance de l'enfant à son groupe. C'est ce sentiment qui explique en partie la résistance du jeune à déménager ou à changer d'école ou de quartier. Le groupe d'amis devient pour l'enfant une sorte d'alcôve sociale où il trouve sécurité et valorisation. Lorsque l'esprit de clan est très fort, il peut aller jusqu'à entraîner le rejet des camarades qui n'en partagent pas les règles ni les activités.

Les jeunes se distribuent des rôles et cette pratique est généralement initiée et coordonnée par le leader. Tout un cérémonial préside aux préparatifs d'un jeu collectif ou d'une activité commune. Les règles admises par l'ensemble ont force de loi. Tout enfant qui ne les respecte pas ou qui triche peut être rejeté du groupe. Seuls les résultats comptent. La compétition est implacable. Les efforts de chaque participant sont beaucoup moins valorisés que les résultats positifs qui en résultent pour le groupe.

On assiste, entre 6 et 10 ans, à une ségrégation sexuelle. En effet, les filles et les garçons ont tendance à se lier plus spontanément avec des jeunes du même sexe. Les recherches dans ce domaine démontrent qu'il y a moins de solidarité et de cohésion dans les groupes de filles qui sont généralement moins hiérarchisés et moins organisés que ceux des garçons. Les filles, par contre, valorisent davantage les compétences relationnelles et les capacités de dialogue et d'empathie que les garçons. Ceux-ci accordent beaucoup plus d'importance aux compétences techniques et de compétition.

L'image que l'enfant se fait de lui-même ou la confiance qu'il a en ses habiletés sociales conditionne en grande partie son adhésion à un groupe. Inversement, l'opinion du groupe à son égard influence beaucoup son comportement social.

On ne peut demander à un enfant d'être autonome dans toutes les activités; de la même façon, le leader ne peut jouer ce rôle dans tous les groupes auxquels il appartient ou dans toutes les activités auxquelles il participe. En général, le leader a du charisme et on cherche à l'imiter. Il est souvent l'initiateur et l'organisateur d'activités spontanées et il devient crédible s'il y démontre des compétences indéniables.

Il ne faut cependant pas confondre le leader avec le caïd. Ce dernier est plutôt despotique et il cherche à dominer le groupe en se servant de la menace pour satisfaire ses désirs. On le craint, mais on ne l'aime pas. Il peut être exclu d'un groupe qui vit une forte cohésion.

L'enfant rejeté vit surtout une problématique de moyens. En général, il veut vivre des relations harmonieuses avec ses pairs, mais il est souvent malhabile dans ses rapports avec les autres ou il fait rarement preuve des compétences qui sont valorisées par le groupe.

Il existe d'autres rôles typiques qui sont déterminés par la personnalité de chaque enfant et qui sont aussi relatifs à la dynamique du groupe et, surtout, aux activités des jeunes. Un enfant, par exemple, peut jouer un rôle de bouffon dans un groupe ou au cours d'une activité, mais ne pas le faire dans un autre contexte. Lorsqu'un enfant joue constamment le même rôle (caïd, bouc émissaire, bouffon, enfant rejeté, etc.) et que cela l'empêche de s'épanouir ou de se faire des amis, il est important de consulter un spécialiste afin de l'aider à rebâtir son estime de soi et à s'affirmer.

Le groupe est un milieu éducatif très puissant. Il prolonge et complète les habiletés sociales que les parents ont transmises à leurs enfants. On constate que les pairs ont souvent plus d'influence que les adultes dans les apprentissages et que l'école, en règle générale, devient l'un des lieux privilégiés pour l'apprentissage de la socialisation. L'enfant y apprend à se faire une place au sein d'un groupe. Il devient de plus en plus habile à se faire des amis et à régler des conflits interpersonnels. Il apprend à s'adapter aux règles, à gagner et à perdre, à parler et à s'affirmer, à assumer des responsabilités envers et avec le groupe.

L'enfant apprend, dans ses relations avec les autres, à comprendre et à accepter les différences qui existent entre les individus et qui ont trait à la couleur de la peau, à la langue, aux défauts, aux qualités, etc. Il apprend également, avant tout grâce à la vie de groupe, à socialiser ses pulsions et à mettre ses habiletés particulières au service de la collectivité.

Au contact des parents et des enseignants

L'attitude des parents et des enseignants a une influence directe sur le processus de socialisation des jeunes. À leur contact, ces derniers apprennent à s'ouvrir aux autres, à accepter les différences, à pratiquer la tolérance et la confiance ainsi qu'à régler seuls la plupart des conflits de groupe; cela leur donne le goût d'aller vers les autres et de s'affirmer positivement. Quand des enfants prennent des moyens inadéquats, comme la violence et l'isolement, pour s'adapter au groupe, les adultes doivent alors suggérer des attitudes qui sont en concordance avec des valeurs de démocratie, de négociation et de partage.

Lorsqu'on surprotège un enfant, on lui envoie le message suivant : « Je crois que tu es incapable de faire face à la musique et que tu es trop faible. Je dois donc le faire à ta place. » L'enfant en arrive à penser qu'il doit constamment attendre des solutions de l'extérieur et qu'il ne peut s'intégrer à un groupe par ses propres moyens.

Il est nocif de toujours fournir des excuses aux enfants. De toute façon, on ne les aide pas à se percevoir de façon réaliste, à se poser des questions sur leurs propres comportements et à rechercher activement des stratégies sociales efficaces.

Les adultes qui ont eux-mêmes de la difficulté à faire confiance aux autres, à avoir du plaisir en groupe ou à garder des amis auront de la difficulté à aider leur enfant à bâtir sa vie sociale. L'enfant apprend par imitation et par identification aux personnes qui sont significatives pour lui. Voilà encore une occasion qu'ont les adultes de s'améliorer eux-mêmes !

Apprendre la générosité aux enfants les aide à s'insérer dans la société et à développer une bonne image d'eux-mêmes. Les gestes gratuits, l'entraide et la compassion font qu'on se sent « bon » à l'intérieur de soi. En habituant un enfant à rendre service, on lui fait prendre conscience des relations entre les humains et on lui fait vivre le bonheur de donner.

Socialisation et appartenance

Toute personne a un besoin fondamental de socialiser, de vivre un sentiment d'appartenance à un groupe et d'avoir un compagnon ou une compagne ainsi que des amis. Échanger, faire des choses concrètes avec d'autres, rire, chanter, tout cela procure un sentiment de complétude et rend heureux. Dans l'adversité, les amis sont de notre côté et nous protègent contre la solitude. Être aimé et apprécié, cela nous aide à faire face à bien des situations. Ce que les autres nous disent, la façon dont ils nous regardent et nous écoutent, bref la façon dont ils nous considèrent, tout cela nous aide à nous définir et nous donne le goût de nous améliorer. Le sentiment d'appartenance joue un rôle d'antidote au sentiment de solitude sociale.

À l'époque où nous vivons, grâce à de nouvelles technologies, les communications sont plus nombreuses et plus faciles que jamais. Pourtant, malgré la multitude de moyens de communication, il n'y a jamais eu autant de solitude chez les adultes et les enfants. Ce paradoxe s'explique par le fait que la société actuelle nous invite à entrer en contact avec d'autres plutôt qu'à établir des relations significatives avec eux.

Les relations significatives transcendent le temps et l'espace. Si on vit une solide amitié avec une personne, on porte toujours en soi son souvenir. Tant que le souvenir d'une personne est vivace, on reste en relation significative avec elle. Des relations d'amitié stables et durables constituent un réseau relationnel auquel on peut toujours se rattacher et qui alimente notre sentiment d'appartenance à un groupe.

L'estime de soi sociale ou la valeur qu'une personne s'attribue sur le plan social se développe par la socialisation et se concrétise par l'appartenance à un groupe. Suis-je important aux yeux des autres? Les autres sont-ils importants à mes yeux? Quelle est la valeur que je me donne dans ma famille, dans mon groupe d'amis, dans mon équipe de travail? Toutes ces questions sont reliées à l'estime de soi sociale. La personne qui considère que sa présence au sein d'un groupe n'a pas d'importance ou ne change rien au groupe estime en fait qu'elle compte peu pour les autres. Il est probable qu'elle vit un sentiment de solitude. Elle a certainement besoin d'améliorer son estime d'elle-même sur le plan social et de vivre un sentiment d'appartenance.

Les signes observables d'un sentiment d'appartenance chez l'enfant

L'enfant qui vit un bon sentiment d'appartenance à un groupe manifeste la majorité des attitudes et des comportements suivants :

- il cherche activement la présence des autres ;
- il est détendu lorsqu'il est en groupe ;
- il communique facilement avec les autres ;
- il retient bien les slogans, les chants de ralliement, etc. ;
- il est capable de sensibilité sociale ;
- il est capable de générosité ;
- il est capable de partage et d'entraide ;
- il suggère, à l'occasion, des idées pouvant servir au groupe ;
- il assume de petites responsabilités dans le groupe ;
- il parle de ses amis ou du groupe à la maison ;
- il est capable d'appliquer des stratégies de résolution de problèmes sociaux.

Les attitudes parentales favorisant un sentiment d'appartenance

Des conflits surgissent inévitablement dans toute vie de groupe, et cela est particulièrement vrai à un âge où l'égocentrisme est encore présent. Il est donc essentiel de proposer à l'enfant des stratégies de résolution de ses problèmes relationnels et de l'inviter à s'exercer à ces stratégies. Le processus devrait ressembler à ce qui suit :

- chercher avec l'enfant différentes solutions en l'aidant à prendre conscience de l'ensemble des ressources et des moyens disponibles;
- l'aider à choisir la solution la plus efficace et qui convient à tout le monde;
- appliquer la solution choisie et aider l'enfant à participer concrètement à sa mise en œuvre;
- évaluer après coup l'efficacité de la solution choisie.

Il y a donc toute une série d'attitudes que les parents peuvent adopter pour amener l'enfant à reconnaître qu'il a de la valeur aux yeux des autres et que la famille ou le groupe a de l'importance pour lui.

CHAPITRE 5

FAVORISER UN SENTIMENT DE COMPÉTENCE

▼

Avec chaque nouvel apprentissage, l'enfant rompt un lien de dépendance. Il s'ouvre à de multiples possibilités et il apprend à être autonome. Les apprentissages sont des processus actifs et graduels d'acquisition au cours desquels les connaissances se généralisent en habiletés et en savoir-faire qui serviront pendant toute la vie.

Il est inutile de faire prendre conscience à un enfant de ses capacités et de lui dire qu'il est capable si on ne lui fournit pas l'occasion de connaître du succès dans ses activités. Il ne sert également à rien de lui faire réaliser des activités si toutes ses entreprises échouent.

Le développement d'un sentiment de compétence ne relève pas de la magie, mais de l'organisation d'activités stimulantes qui offrent à l'enfant des défis à sa mesure, qui le motivent, et qui l'incitent à être autonome.

L'enfant ne peut pas réaliser des apprentissages moteurs, intellectuels et sociaux s'il ne vit pas des expériences de succès. Pour vivre ces expériences, il doit avoir le sentiment de sa valeur personnelle, être conscient de ses habiletés et, consé-quemment, posséder une bonne estime de soi. Cette bonne opinion de soi est à la base de la motivation et du processus d'apprentissage que l'on peut représenter de la manière suivante :

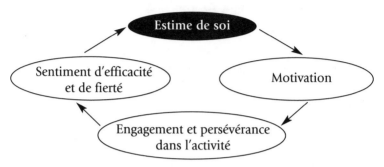

L'estime de soi est tributaire des expériences passées. Se souvenir de ses succès et d'avoir fait preuve de compétence dans certains domaines permet d'avoir foi en soi (estime de soi) et d'espérer une réussite dans la poursuite d'un objectif. L'anticipation du succès constitue le fondement de la motivation.

La motivation se manifeste par l'engagement et la persévérance dans l'activité entreprise. Avec de bons moyens et de bonnes stratégies d'apprentissage, on parvient au succès. De cette réussite, se dégage un sentiment d'efficacité et de fierté qui augmente à son tour l'estime de soi. Tel est le cycle dynamique de l'apprentissage dans lequel l'estime de soi joue un rôle central.

Les enfants doivent vivre de nombreuses expériences de réussite pour prévenir les problèmes de motivation et d'apprentissage. Pour que cela se réalise, les parents et les enseignants doivent intervenir directement sur les divers éléments qui composent un apprentissage et, en premier lieu, favoriser la motivation.

La motivation

La motivation — ce qui incite une personne à accomplir une tâche ou à atteindre un objectif correspondant à un besoin — est faite de désir et de volonté. Autrement dit, c'est un ensemble de forces qui poussent un individu à agir.

On peut aussi dire de la motivation que c'est l'anticipation du plaisir ou de l'utilité d'une tâche à accomplir. Il est difficile, par exemple, d'être motivé quand on nous propose de faire une partie d'échecs et que cette activité nous déplaît. Le même phénomène se produit dans le cas d'une tâche à accomplir. En effet, la motivation est inexistante si on juge que mettre de l'ordre dans son bureau, par exemple, n'est utile ni pour le travail ni pour son bien-être.

Cette capacité d'anticipation se développe graduellement. Elle naît chez le tout-petit lorsqu'on lui fait vivre des délais entre ses désirs et leur satisfaction. Encore faut-il que l'on donne à l'enfant l'occasion d'anticiper. En effet, si on satisfait immédiatement son moindre désir, on ne lui donne pas la chance de se représenter mentalement l'objet du désir et d'anticiper le plaisir qu'il en retirera. Au contraire, en vivant un délai de même que la frustration qui lui est liée, l'enfant apprend peu à peu que son attente est généralement couronnée de satisfaction. Il peut se permettre d'espérer, c'est-à-dire d'être motivé. Pour cela, l'adulte doit tenir ses promesses. Il est important, par exemple, qu'il tienne sa promesse s'il a fait savoir à l'enfant qu'il ira au cinéma avec lui. Par la répétition de promesses tenues après des moments d'attente « raisonnables », c'est-à-dire dont la longueur n'émousse pas la motivation, le parent apprend à l'enfant à anticiper un plaisir à venir ; il est alors perçu comme digne de confiance.

La vie comporte des attentes et des frustrations inévitables. L'enfant doit apprendre à les accepter en se fiant à sa motivation intérieure qui lui fournit l'énergie dont il a besoin pour poursuivre tous ses objectifs.

La motivation scolaire commence bien avant le début de la scolarité. En effet, la motivation à faire des activités intellectuelles prend d'abord sa source dans le milieu familial. On sait qu'un enfant, avant l'âge de 6 ans, a un comportement plutôt verbo-moteur. Toutefois, il est intrigué lorsqu'il voit ses parents faire quelque chose qu'il ne fait pas lui-même, tenir un livre ou une revue pendant de longues minutes par exemple. Il se demande ce que cet objet peut bien avoir d'intéressant alors qu'on ne peut même pas jouer avec. La curiosité qu'il développe pour les secrets et les activités des adultes est à l'origine de sa motivation pour la lecture, entre autres.

Le goût d'apprendre

La motivation est contagieuse. En effet, l'enfant, par la relation d'attachement qu'il vit avec ses parents, adhère généralement à leurs valeurs. Il a aussi la motivation de partager leurs activités, d'abord par imitation et, plus tard, par identification. Selon une recherche faite au Danemark, 82 p. 100 des élèves de 6 à 9 ans qui éprouvent des difficultés de lecture viennent de familles qui possèdent moins de dix livres. Si les parents lisent rarement, s'ils n'ont pas de vie intellectuelle et s'ils s'intéressent peu aux activités scolaires de leur enfant, il y a de fortes chances que celui-ci en fasse autant.

De nombreux parents aimeraient insuffler de manière un peu magique une motivation scolaire à leur enfant. Ils risquent fort d'être déçus, car la motivation se cultive et ne s'impose pas. Mais ils peuvent jouer un rôle incitatif dans ce domaine. Pour le comprendre, il suffit de comparer la motivation à l'appétit ; on ne peut pas forcer un enfant à avoir de l'appétit, mais on peut l'inciter à manger en variant les menus et en lui présentant des petits plats attrayants. De la même manière, on ne peut forcer un enfant à apprendre, mais on peut l'y inciter.

La comparaison entre la motivation et l'appétit permet d'illustrer la grande influence qu'a le climat relationnel sur les activités d'apprentissage. Pensons, par exemple, à la situation suivante. Un ami vous invite à prendre un repas avec lui ; vous n'avez pas très faim, mais vous acceptez quand même l'invitation. L'atmosphère est très détendue, vous avez du plaisir, le temps passe vite... et votre appétit augmente. À l'inverse, vous pouvez avoir très faim avant le repas et perdre tout appétit parce que des conflits éclatent pendant le repas et que votre estomac se noue.

De la même façon, la motivation de l'enfant pour une activité ne peut qu'augmenter s'il éprouve du plaisir à la faire avec la personne qui l'accompagne. Cela influence grandement la motivation et la qualité de ses apprentissages.

Les facteurs de motivation

De nombreuses études démontrent qu'il existe d'autres facteurs qui influencent la motivation. Ainsi, la conception qu'a l'enfant de l'intelligence joue un rôle dans sa motivation. En effet, dans notre société et dans nos écoles, on considère qu'un élève qui réussit bien à l'école est intelligent. Malheureusement, beaucoup de jeunes font l'équation inverse et associent un faible rendement scolaire à un manque d'intelligence.

Nombreux sont les élèves qui possèdent de bonnes capacités intellectuelles, mais qui ne réussissent pas à fournir un rendement scolaire adéquat à cause de difficultés d'apprentissage. Certains font des efforts louables pour améliorer leur rendement mais, n'y parvenant pas, ils se sentent dévalorisés tout en s'apercevant qu'ils déçoivent les adultes qui les entourent. Il arrive également que des adultes, se rendant compte des efforts fournis par les enfants sans qu'il y ait amélioration du rendement, leur laissent entendre plus ou moins explicitement qu'ils ne sont pas doués sur le plan intellectuel.

Bien des jeunes, afin d'éviter ce jugement négatif qui hypothéquerait leur estime d'eux-mêmes, cessent tout simplement de s'intéresser à leurs apprentissages. On dit alors de ces élèves qu'ils sont paresseux et qu'ils réussiraient mieux s'ils travaillaient davantage. Il est moins blessant pour un enfant de se faire traiter de paresseux que d'être considéré comme peu doué intellectuellement.

La conception qu'a l'enfant du but de ses apprentissages influence aussi sa motivation. Nous vivons dans une société où la performance et le rendement sont de plus en plus valorisés et où l'efficacité et la rentabilité à court terme sont très importantes. Durant son cheminement scolaire, l'enfant apprend en quelque sorte qu'il est plus important de « livrer la marchandise » que de s'occuper du processus de sa fabrication. Il constate qu'on n'encourage pas les efforts et le plaisir, mais plutôt l'efficacité et la performance. Cette prise de conscience diminue sa motivation pour le processus d'apprentissage. En effet, il constate qu'il est jugé bon ou mauvais élève selon le rendement qu'il fournit aux examens, peu importe l'énergie et le temps qu'il a consacrés à son travail durant les semaines précédentes. Il découvre aussi que les évaluations occupent une large place au détriment de la démarche d'apprentissage. Sa motivation diminue parce qu'il se sent obligé de produire au maximum pendant un temps limité pour le bénéfice de ses parents, des enseignants et des administrateurs scolaires.

Tout apprentissage doit avoir un sens. On ne peut demander à quelqu'un de faire une activité sans qu'il en perçoive le but, l'utilité ou la valeur. En procédant autrement, on fait injure à son intelligence et on réduit sa motivation. L'enfant a donc besoin d'être conscient de l'utilité concrète de l'apprentissage qu'on lui propose. Ainsi, il va être beaucoup plus motivé à apprendre les mesures linéaires s'il se rend compte que cet apprentissage peut lui être utile en menuiserie ou en couture. À ce sujet, il ne faut pas s'attendre à ce que l'enfant découvre toujours par lui-même les relations entre les apprentissages et leur utilité dans la vie courante. Il faut parfois l'informer de ces relations qui donnent souvent un sens ou une valeur aux apprentissages.

Il est très important que le parent joue un rôle de médiateur entre l'enfant et les apprentissages. Cette médiation doit prendre la forme d'un soutien continu qui permet à l'enfant de comprendre les relations qu'il y a entre les contenus des apprentissages et les éléments de la réalité. Par des échanges verbaux, les adultes mettent en relation la nouvelle information avec celle que l'enfant possède déjà; de la même façon, ils discutent avec lui d'un nouvel apprentissage qu'il vient de réaliser en établissant des liens entre ce dernier et d'autres notions ou habiletés déjà acquises.

L'enfant est plus motivé s'il évalue bien les exigences des activités qu'on lui propose. Certains enfants, en surévaluant les difficultés des tâches auxquelles on les convie, perdent leur motivation, car ils ont peu confiance de pouvoir surmonter ces difficultés. D'autres sous-évaluent la complexité des activités proposées. En les jugeant trop faciles ou trop banales, ils amoindrissent leur motivation.

Avoir une bonne perception des exigences d'une activité consiste à être conscient de l'objectif visé ainsi que des attitudes, étapes et stratégies nécessaires pour l'atteindre. L'enfant doit être également convaincu qu'il peut s'appuyer sur des habiletés et des connaissances qu'il a déjà. Sa motivation est liée directement à sa perception de la faisabilité de la tâche ou de l'activité.

Des objectifs réalistes

Il y a un leitmotiv qui revient constamment en pédagogie : les défis d'apprentissage qu'on propose doivent être conformes aux capacités des enfants concernés, ils doivent être adaptés à leur niveau de développement et être en accord avec leur rythme de développement. L'enfant qui échoue parce que l'objectif fixé est trop élevé ou parce que la cadence d'apprentissage est trop rapide ne connaît pas le plaisir ; il est démotivé et dévalorisé. Un bon objectif réaliste est un savant dosage ou un équilibre entre une trop grande difficulté et une trop grande facilité. Il doit répondre aux critères suivants* :

Concevable : Il doit être possible de le déterminer clairement et de distinguer les différentes étapes à franchir pour l'atteindre.

Crédible : Il doit être lié à un système personnel de valeurs pour qu'on ait la certitude de pouvoir l'atteindre.

Réalisable : On doit pouvoir l'atteindre avec ses propres forces, habiletés et capacités.

Contrôlable : Il faut pouvoir obtenir la collaboration d'une autre personne si cette présence est nécessaire.

Mesurable : Il doit être mesurable en temps et en énergie dépensée.

Désirable : On doit désirer l'atteindre.

Clair : Il doit être précis et sans ambiguïté.

Constructif : Il doit permettre une croissance personnelle et servir aussi aux autres.

---

* Adapté de Sharp, Billy B., Claire Cox. *Choose success : How to set and achieve all your goals.* New York : Hawthorn Books, 1970.

En général, les enfants aiment relever des défis. Pour que leurs tentatives soient fructueuses, l'objectif qu'on leur propose doit être réaliste, simple, limité dans le temps et réalisable en suivant une démarche qui comporte différentes étapes.

Apprendre à apprendre

Chacun a sa façon d'apprendre. En effet, chacun utilise des stratégies particulières pour percevoir, traiter et émettre de l'information. En tant que parent, on doit aider son enfant à découvrir et à choisir les stratégies qui vont faciliter ses apprentissages.

À titre explicatif, comparons le fonctionnement de l'intelligence à celui d'un ordinateur. Il y a d'abord l'entrée de l'information, puis son traitement et, enfin, l'émission de cette information. Et, à chacune de ces étapes, on peut utiliser plusieurs stratégies.

L'enfant possède des outils pour apprendre, soit des capacités perceptives, intellectuelles, neuromotrices, etc. Ces capacités se développent graduellement et par stades. De plus, chaque enfant a son rythme d'évolution qui doit être reconnu et respecté. On ne peut pas faire apprendre n'importe quoi à n'importe qui, ni n'importe quand. Tout dépend de la complexité de l'apprentissage et des moyens que l'enfant possède. Par exemple, on ne peut demander à un élève de 6 ans d'effectuer des divisions avec des nombres, car il ne possède pas les outils intellectuels nécessaires pour effectuer une telle opération.

Certains enfants font penser à des ouvriers qualifiés qui ne sauraient pas utiliser un nouvel outil. Ils ont le potentiel nécessaire pour faire le travail (c'est-à-dire pour faire des apprentissages), mais ils ne savent pas comment s'y prendre. Or, pour réaliser des apprentissages spéciaux, l'enfant doit apprendre à manier ses outils, c'est-à-dire à choisir des stratégies.

L'équation logique des apprentissages

Tout résultat d'apprentissage, qu'il soit moteur, intellectuel ou social, est une suite logique et causale d'attitudes et de stratégies qui peut se résumer par l'équation suivante :

Trop d'élèves ignorent qu'ils peuvent exercer un contrôle sur leurs apprentissages et leurs résultats. Ils évoquent souvent des causes extérieures pour expliquer leur rendement scolaire. Un enfant dira, par exemple, qu'il obtient de bonnes notes parce qu'il est dans une classe d'élèves faibles ; un autre affirmera qu'il échoue dans une matière parce que l'enseignante corrige trop sévèrement.

Un véritable apprentissage suppose qu'il y a une compréhension des liens logiques qui existent entre la démarche et le résultat. Sur ce plan, les parents ont un rôle important à jouer. En effet, ils doivent aider leur enfant à prendre conscience qu'aucun résultat (positif ou négatif) n'est magique, mais qu'il est plutôt la conséquence logique de ses attitudes (motivation, autonomie, responsabilité) et des stratégies qu'il a utilisées.

Les parents doivent rassurer l'enfant en lui faisant réaliser qu'un résultat négatif ne remet pas en cause sa valeur personnelle ni son intelligence et qu'il peut exercer un certain pouvoir sur ses attitudes et ses stratégies. L'enfant doit savoir qu'il a connu un échec parce qu'il n'était pas suffisamment motivé ou parce qu'il n'a pas utilisé les bons moyens pour réussir. S'il veut réussir, il doit et il peut modifier sa démarche. Grâce à cette prise de conscience, l'enfant en vient à comprendre que les bons résultats qu'il obtient dépendent de son attitude favorable et des moyens qu'il a utilisés. Il retire alors de ses apprentissages un sentiment d'efficacité et de fierté qui nourrit son estime de soi.

L'erreur au service de l'apprentissage

On ne peut réaliser des apprentissages sans commettre des erreurs. L'erreur est inévitable et elle est même nécessaire dans un processus d'apprentissage dynamique. C'est en grande partie grâce à ses erreurs que l'enfant apprend à apprendre. Les parents doivent donc aider leur enfant à prendre conscience de ses erreurs afin qu'il puisse les corriger et utiliser des moyens pour ne pas les répéter. L'enfant y parviendra en se servant d'autres stratégies. Or, dans cette recherche de nouvelles stratégies, il doit obtenir l'aide de ses parents qui peuvent lui en suggérer, mais pas lui en imposer.

Certains parents croient encourager leur enfant en lui disant de « faire des efforts ». Il s'agit là d'un concept trop abstrait pour de nombreux jeunes. De plus, ce conseil est nuisible, car le jeune ne possède pas toujours des stratégies d'apprentissage. Dans ce cas, que se passe-t-il si l'enfant tente de répondre aux attentes de ses parents. Il investit beaucoup d'énergie tout en risquant fort de connaître des échecs, car il n'utilise pas les moyens adéquats. Il se dit alors qu'il a fait des efforts sans réussir et, donc qu'il n'est pas intelligent. Son estime de soi est alors sapée. Permettez-moi, à ce propos, de vous faire une confidence : je n'ai jamais appris à nager et je suis convaincu qu'un professeur de natation qui me ferait sauter dans quatre mètres d'eau en me disant de faire des efforts ne parviendrait qu'à me faire avaler beaucoup d'eau. Par contre, s'il me disait comment on doit s'y prendre pour garder la tête hors de l'eau et pour avancer, il y a de fortes chances que les stratégies qu'il me proposerait d'ajouter à mes efforts auraient plus de succès.

Pour qu'un jeune prenne conscience de ses erreurs, il doit d'abord les accepter. Trop d'enfants voient leurs erreurs comme des échecs. Ils deviennent alors perfectionnistes ou refusent de faire des activités à cause de leur hantise d'en commettre d'autres. Est-ce à cause de parents trop exigeants ou ne serait-ce pas plutôt parce que des parents sont intolérants face à leurs propres erreurs. Or, les parents sont des modèles auxquels les jeunes s'identifient. Ils sont donc perçus comme étant des êtres parfaits, car ils n'admettent jamais qu'il leur arrive de commettre des erreurs. Les enfants se sentent dans l'obligation d'être comme eux afin d'être dignes d'eux. Il est donc souhaitable que les parents parlent de leurs erreurs afin de permettre à leurs enfants d'accepter d'en faire eux aussi.

Accepter ses erreurs et s'en servir pour progresser n'est pas une chose facile à faire dans une société où, à l'école comme au travail, l'efficacité et la rentabilité sont des valeurs importantes et où l'erreur est difficilement admise. Les enfants se sentent trop souvent obligés de répondre à tout prix aux exigences des adultes qui privilégient les résultats au détriment du processus d'apprentissage.

Informer ou former les enfants ?

Entre la théorie et la pratique, il y a un pas que les enfants franchissent parfois difficilement. En effet, nombreux sont ceux qui ne font pas spontanément de liens entre les connaissances qu'ils acquièrent sur les bancs d'école et leur utilité dans la vie quotidienne. Comment expliquer ce phénomène qui inquiète de plus en plus de parents et d'enseignants ? Et surtout, comment aider nos jeunes à intégrer toute l'information à laquelle ils ont accès ?

Les jeunes sont bombardés d'informations de toutes sortes et nombreux sont ceux qui éprouvent des difficultés à faire des liens entre ces divers renseignements. Cette situation nous amène à réfléchir sur la nature des apprentissages et sur la formation que nos enfants reçoivent pour faire face aux défis des années futures. Il n'y a aucune étude qui démontre que les jeunes d'aujourd'hui sont moins habiles que ceux d'hier à établir des relations logiques entre diverses connaissances. Par contre, tout le monde s'entend pour dire que les enfants d'aujourd'hui sont plus informés que par le passé. Alors, comment expliquer que tant de jeunes éprouvent ce genre de difficultés ?

Des parents qui se sentent impuissants

Ce n'est pas à l'école qu'un individu acquiert la majorité de ses connaissances. En effet, un grand pédagogue américain, Benjamin Bloom, a démontré qu'un individu réalise environ 80 p. 100 de ses apprentissages en dehors du milieu scolaire. Lorsque le petit entre en maternelle, il possède déjà tout un bagage d'apprentissages qu'il doit, en grande partie, au soutien de ses parents. Des apprentissages parfois très complexes, dont l'acquisition du langage oral, s'acquièrent simplement, grâce en particulier à la relation d'attachement entre l'enfant et ses parents. Cette relation constitue l'essence même de l'estime de soi chez le petit. En effet, le fait que l'enfant perçoive qu'il est réellement aimé l'amène à conclure qu'il est aimable et qu'il a donc une valeur. On sait aussi que l'estime de soi est nécessaire pour anticiper le succès de ses entreprises et que, de plus, les apprentissages revêtent une grande signification lorsqu'ils sont réalisés dans le cadre d'une relation d'attachement.

La majorité des parents savent guider leurs petits dans leurs acquisitions préscolaires. Mais il y en a certains qui se sentent moins compétents ou moins habiles à soutenir leur enfant dans son cheminement scolaire.

À l'école, ce ne sont pas les parents qui initient les apprentissages de leurs enfants, mais les enseignants. N'ayant pu partager la motivation, les tâtonnements et l'ensemble du processus d'apprentissage de leur enfant en classe, certains parents ont le sentiment qu'ils ne sont plus concernés. À vrai dire, ils se sentent d'autant plus exclus du cheminement scolaire qu'ils ne comprennent pas les programmes et, surtout, les nouvelles méthodes d'enseignement. Ces parents se sentent alors impuissants à aider leurs enfants.

L'enfant se développe de façon globale. Mais, dans le cadre scolaire, les parents se rendent compte rapidement que les apprentissages sont traduits en une série d'objectifs pour chaque matière. Plusieurs d'entre eux ne s'y retrouvent pas. De plus, contrairement à ses premières années de vie, l'enfant doit intégrer des connaissances et des habiletés dans un laps de temps qui est limité par les échéances que sont les examens. Si un enfant ne sait pas marcher à un an, on ne lui fait pas reprendre son année. Mais il en va tout autrement s'il ne parvient pas à faire une addition simple, « 2 + 2 » par exemple, à la fin de sa première année scolaire. Le régime pédagogique suit rarement les lois du développement de l'enfant.

Des liens avec la « vraie vie »

Avant l'âge scolaire, l'enfant réalise des apprentissages qui sont essentiellement reliés à ses besoins immédiats. Il utilise régulièrement ses nouvelles habiletés et connaissances dans son environnement. À l'école, il est amené à faire des apprentissages qui lui semblent étranges, sinon éloignés de sa vie quotidienne. Par exemple, il ne voit pas d'emblée l'utilité de la soustraction avec emprunt. Comme l'adulte, l'enfant n'est pas motivé à accomplir une tâche s'il n'en perçoit pas l'utilité concrète. Les parents ont un rôle important à jouer à ce chapitre.

Il faut amener l'enfant à faire des liens entre les apprentissages scolaires et leurs applications possibles dans la « vraie vie ». C'est une attitude essentielle pour nourrir la motivation de l'enfant et l'aider à utiliser ses connaissances dans plusieurs domaines.

Une information isolée n'a aucun sens pour l'enfant s'il ne peut la mettre en relation avec des connaissances déjà acquises. Les connaissances deviennent des éléments de formation quand l'enfant peut établir entre elles des liens de complémentarité, d'analogie, de similitude et des relations logiques qui permettent de faire des synthèses. Les échanges verbaux, lors des repas par exemple, sont des moments privilégiés pour faire ces relations. Par exemple, votre enfant vient d'apprendre que c'est Christophe Colomb qui a découvert l'Amérique. Tout en discutant avec lui, vous pouvez lui dire que ce découvreur a d'abord accosté en République Dominicaine, là où sa tante a passé ses vacances l'année dernière, qu'il y a un pays en Amérique du Sud qui se nomme Colombie en son honneur, etc. Il y a fort à parier que votre enfant se souviendra toujours de Christophe Colomb et du rôle qu'il a joué en Amérique. Une émission de télévision et une balade en voiture sont d'autres bonnes occasions pour aider l'enfant à faire ce genre de relations.

Un système scolaire en crise

Le système scolaire traverse présentement une importante crise quant à son organisation, son fonctionnement et ses finalités. Cette crise se traduit par une hausse alarmante de l'abandon scolaire. Ce phénomène désastreux fournit l'occasion de remettre en question certaines données importantes. Parmi elles, notons que plusieurs facteurs d'organisation favorisent l'acquisition de connaissances sur un mode morcelé, c'est-à-dire que les connaissances sont isolées les unes par rapport aux autres.

Au primaire, l'élève est en contact avec plusieurs programmes, chacun conçu indépendamment des autres. Dans chaque matière, l'enseignant doit rencontrer une multitude d'objectifs d'apprentissage. Ce découpage a été fait selon la logique de la matière à transmettre, et cela ne correspond pas toujours à la logique du développement de l'élève. Les objectifs sont organisés de façon séquentielle et linéaire, et il est souvent difficile, pour l'élève, de faire des liens entre eux.

Chaque programme est isolé des autres. Il vise l'acquisition d'habiletés et de connaissances qui sont souvent sans liens avec les objectifs des autres programmes. Il y a une logique verticale à l'intérieur de chaque programme, mais il y a peu de logique horizontale entre les matières. Or, l'enfant ne possède pas une intelligence pour l'apprentissage du français et une autre pour les mathématiques. Il forme un tout et a des habiletés intellectuelles qui peuvent être transférées d'une matière à une autre. Mais pour ce faire, les programmes doivent être conçus de manière à favoriser ces transferts. Le régime pédagogique semble malheureusement constitué de tiroirs séparés les uns des autres. Il n'est donc pas étonnant que les élèves éprouvent de la difficulté à relier entre elles les notions véhiculées dans les divers programmes.

Un enseignement significatif

L'enfant ne peut intégrer de nouvelles connaissances qu'à partir de ce qu'il sait déjà. La différence fondamentale entre l'élève qui apprend facilement et celui qui éprouve des difficultés réside dans la capacité à faire des relations entre les connaissances anciennes et les nouvelles. Certains enseignants ne consacrent pas assez de temps ni d'énergie à favoriser ces relations qui permettraient à l'élève de situer les connaissances les unes par rapport aux autres et de les intégrer à un ensemble ouvert à d'autres apprentissages. De plus, découvrir ces nouvelles relations est souvent source de motivation pour l'enfant.

Tout comme les parents, les enseignants doivent faire comprendre aux jeunes l'utilité de chaque apprentissage sans se préoccuper des notes du bulletin. Les apprentissages scolaires n'ont de signification qu'en fonction de leurs applications dans des activités concrètes, qu'elles soient actuelles ou futures.

La fin du morcellement des apprentissages et l'élimination d'un bon nombre d'objectifs d'apprentissage dans les programmes sont à l'ordre du jour dans certains milieux scolaires. Il s'agit là de projets novateurs et très louables.

L'intégration des matières est une clé permettant aux connaissances de se conserver dans le temps. Elle permet à l'enfant de réaliser une synthèse globale et personnelle qui l'ouvre aux découvertes scientifiques et artistiques de notre monde.

Favoriser le sens des responsabilités

De nombreux jeunes éprouvent de la difficulté à assumer leurs responsabilités scolaires. La capacité de se charger seul de ses travaux n'apparaît pas comme par magie lorsqu'un élève entre au secondaire. Elle s'inscrit dans un processus continu qui débute dès la petite enfance.

Chez tous les enfants, de la même manière que la socialisation, la capacité d'être responsable et autonome se développe graduellement et est ponctuée d'évolutions subites et de régressions temporaires. Le sens des responsabilités varie aussi selon les activités qui sont en cause. Un enfant peut se montrer responsable quand il s'agit de ranger sa chambre et l'être beaucoup moins par rapport à ses tâches scolaires.

Il va sans dire que les responsabilités qu'on désire que l'enfant assume doivent être adaptées à son niveau de développement. Avant d'entrer à l'école, l'enfant doit déjà avoir appris à prendre certaines petites responsabilités, comme celle de lacer ses souliers, de ranger ses jouets, etc. Soulignons, cependant, que le sens des responsabilités n'a rien à voir avec l'obéissance servile ou avec la routine. Les parents doivent amener l'enfant à comprendre le sens des valeurs et le bien-fondé des responsabilités à assumer.

Il ne faut pas s'attendre à ce que l'enfant assume d'emblée ses responsabilités scolaires si, au préalable, il n'a pas appris à s'acquitter de certaines petites tâches qu'on lui confie à la maison.

Les responsabilités scolaires

Les responsabilités scolaires sont, de façon générale, les premières que l'enfant doit assumer en dehors du milieu familial. Certains enfants sont moins préparés que d'autres à faire face à cette situation. Il ne faut pas oublier que le fait de prendre en main ses responsabilités scolaires relève à la fois de la motivation et de l'autonomie, et que celui de devenir un élève responsable nécessite un engagement personnel et la capacité de persister dans cette voie.

Il convient de reprendre ici certains éléments concernant la motivation et l'autonomie en précisant leur rôle dans le développement du sens des responsabilités scolaires.

La motivation a été définie comme étant l'anticipation d'un plaisir au cours d'une activité ou l'anticipation de l'utilité de cette activité. Elle constitue le mobile et l'énergie interne de l'autonomie et de l'engagement de l'enfant. Ce dernier accepte volontiers de prendre des moyens et d'investir des efforts dans une activité scolaire lorsqu'il est convaincu qu'elle peut être plaisante ou qu'elle lui sera utile dans la vie.

La motivation est directement influencée par les valeurs du milieu familial et elle apparaît bien avant le début de la scolarité. Les parents qui ont peu d'activités intellectuelles (lecture, écriture, etc.) vont trouver difficile d'inciter leur enfant à en avoir. Mais lorsque la période des travaux scolaires arrive, ils doivent quand même aider leur enfant à en comprendre l'utilité et à prendre ses responsabilités. Si cela n'est pas fait, l'enfant rechignera à faire ses travaux, car il n'en percevra pas le sens. Ceux-ci seront perçus comme des exigences d'adultes et comme une source de frustration.

La capacité de faire des choix et d'en accepter les consé-quences, qu'elles soient positives ou négatives, est à la base de l'autonomie. Cette aptitude est fondamentale dans le processus d'apprentissage et elle n'apparaît pas soudainement et par magie. Faire des choix entraîne des risques et, surtout, oblige à renoncer à certaines choses. Cette contrainte est souvent source d'ambivalence, même chez les adultes. L'autonomie est essen-tielle à la responsabilisation de l'élève; elle suppose, en effet, qu'il a déjà fait le choix de s'engager dans les activités scolaires.

Au cours des apprentissages, les erreurs sont inévitables et nécessaires. Elles permettent à l'enfant d'ajuster ses stratégies et de trouver de nouveaux moyens pour atteindre ses objectifs. Elles lui fournissent également l'occasion de s'auto-évaluer, de corriger ses stratégies et de réfléchir à la pertinence de ses choix.

Il est important d'aider l'enfant à prendre conscience de ses erreurs. Cette prise de conscience lui permet d'apprendre à ne pas les répéter. De plus, les corrections et les ajustements qui sont apportés stimulent la souplesse et la mobilité de la pensée.

Devenir un élève responsable

Le sens des responsabilités scolaires chez l'enfant est indissociable de sa motivation et de son autonomie. Cela se manifeste par la persistance dans l'effort. Pour persister dans ses tâches scolaires, l'enfant doit continuellement puiser de l'énergie dans ses motivations et prendre le risque de choisir ses moyens et ses stratégies.

Pour devenir un écolier responsable, l'enfant doit aussi acquérir peu à peu une méthode de travail personnelle. Face à un travail ou à un examen à préparer, la planification et la méthode de travail doivent comprendre les éléments suivants :

- l'anticipation de la succession des étapes à franchir pour réaliser le travail ou pour préparer l'examen ;

- l'anticipation de la durée ou du temps à consacrer à chacune des étapes en fonction de l'échéance ;

- l'anticipation des moyens ou des stratégies à utiliser au cours de chacune des étapes ;

- l'anticipation d'un moyen d'auto-évaluation de l'atteinte de l'objectif.

Finalement, il importe de retenir que chaque fois que l'on fait à la place de l'enfant un geste qu'il pourrait faire lui-même, on nuit à son autonomie et à son sens des responsabilités.

Les signes observables d'un sentiment de compétence chez l'enfant

L'enfant qui vit un bon sentiment de compétence manifeste la majorité des attitudes et des comportements suivants :

- il se souvient de ses réussites passées ;
- il anticipe du plaisir face à une activité ;
- il perçoit l'utilité des activités ou des apprentissages qu'on lui propose ;
- il manifeste de la fierté à la suite d'une réussite ;
- il manifeste le goût de réaliser plusieurs apprentissages ;
- il manifeste de la curiosité intellectuelle ;
- il est capable de faire des choix de stratégies ou de moyens ;
- il est capable de persévérance malgré les difficultés ;
- il manifeste de la créativité ;
- il est capable d'initiatives et de risques calculés ;
- il est capable de réinvestir et de généraliser ses habiletés et connaissances ;
- il reconnaît et accepte ses erreurs ;
- il est détendu durant les activités d'apprentissage.

Les attitudes parentales favorisant un sentiment de compétence

Il y a toute une série d'attitudes que les parents peuvent adopter pour amener leur enfant à développer un sentiment de compétence :

- connaître les capacités et le niveau de développement de l'enfant ;
- réactiver chez lui le souvenir de ses réussites passées ;
- lui proposer des activités stimulantes qui soient sources de plaisir ;
- l'informer de l'utilité des activités ou des apprentissages ;
- lui proposer des objectifs réalistes ou conformes à ses capacités ;
- respecter son rythme d'apprentissage ;
- favoriser son autonomie ;
- encourager son sens des responsabilités ;
- faire régulièrement des rétroactions et des objectivations pour amener l'enfant à prendre conscience des liens entre ses attitudes, ses stratégies et les résultats qu'il obtient ;
- lui suggérer plusieurs stratégies et moyens d'apprentissage ;
- l'aider à reconnaître, à dédramatiser et à accepter ses erreurs ;
- l'aider à autocorriger ses erreurs ;
- favoriser sa créativité ;
- lui éviter le stress de la performance ;

- accorder la première place à la démarche d'apprentissage;
- souligner par des rétroactions positives ses bonnes stratégies et ses bonnes réponses;
- respecter son rythme personnel d'apprentissage;
- stimuler le développement de sa pensée.

CONCLUSION

▼

De plus en plus de recherches et de travaux confirment que l'estime de soi est le principal facteur de prévention des difficultés d'adaptation et d'apprentissage chez l'enfant ainsi que des dépressions et de la maladie mentale chez l'adulte. En ce sens, on peut affirmer que l'estime de soi joue le rôle d'un passeport pour la vie.

Chaque être humain possède des ressources et des forces lui permettant de surmonter les épreuves et les difficultés de la vie. Toutefois, pour y arriver, il faut être conscient de cette capacité qu'on a de relever les défis. Le terme « estimer », du latin *estimare*, signifie « déterminer la valeur de » et « avoir une opinion sur ». Transposée dans le langage courant, l'expression « estime de soi » veut donc dire « déterminer sa valeur personnelle ». Mais pour estimer sa valeur, il faut d'abord en être conscient. C'est en ce sens que les parents et les adultes jouent un rôle majeur dans le processus de conscientisation de la valeur personnelle que s'attribue chaque enfant.

En général, tout enfant a une grande valeur aux yeux de ses parents. Malheureusement, il n'en est pas toujours conscient. En effet, beaucoup trop d'enfants, qui manifestent de belles qualités et qui ne présentent aucune difficulté d'adaptation ou d'apprentissage, ne s'estiment pas à leur juste valeur ou se déprécient. Cette situation origine d'un manque de rétroactions positives de la part des parents et des éducateurs auxquels l'enfant attachent de l'importance.

Ces adultes doivent d'abord amener l'enfant à connaître ses caractéristiques particulières (compétences, qualités, etc.) et à se découvrir une identité. Tout enfant a besoin d'un passeport qui lui confirme une identité positive. Ce passeport lui est donné par les parents qui agissent, en quelque sorte, à la manière d'un pays à l'égard d'un ressortissant. C'est grâce à ce passeport que l'enfant pourra voyager dans la vie en toute confiance.

L'estime de soi ne se résume pas en une simple connaissance de ses forces, de ses qualités et de ses talents. Elle suppose aussi une juste perception de ses difficultés et de ses limites. Il est donc important que les adultes fassent prendre conscience à l'enfant de ses difficultés et les lui fassent voir comme des défis qu'il est capable de relever. Croire aux capacités de l'enfant procure à ce dernier un sentiment de confiance et de l'optimisme. Parents et éducateurs doivent aussi soutenir l'enfant dans sa recherche de moyens pour vaincre ses difficultés.

L'estime de soi est un processus complexe et variable qui ne se limite pas au fait de *s'aimer* ou de *ne pas s'aimer*. Dans l'opinion populaire, on confond souvent les termes « surestimer », « sous-estimer » et « estimer ». Se surestimer veut dire avoir une haute opinion de soi sans voir ses difficultés ni ses limites ; c'est un sentiment d'omnipotence ou du narcissisme. Dans le cas contraire, c'est-à-dire où une personne se sous-estime, se déprécie sans tenir compte de ses forces et de ses qualités, il s'agit d'une attitude qui confine à des sentiments dépressifs. L'estime de soi est un sentiment sain et réaliste, qui varie constamment et qui est parfois précaire. Elle se situe entre le narcissisme et la dépression.

L'estime de soi est le plus précieux héritage que les parents peuvent laisser à un enfant. Cet héritage n'est possible que grâce à la relation d'attachement et à des attitudes aimantes. L'enfant qui est sécurisé physiquement et psychologiquement, qui ressent un sentiment de confiance face à la vie, qui se connaît et se confère à lui-même une identité propre, qui ressent vivement un sentiment d'appartenance à sa famille et à un groupe, qui développe ses compétences et prend conscience finalement de sa valeur personnelle, hérite d'un trésor dans lequel il pourra puiser toute sa vie pour affronter les difficultés. Cet héritage constitue le meilleur passeport qu'il puisse détenir pour s'épanouir pleinement et grandir constamment.

Ressources

▼

ANDRÉ, CHRISTOPHE ET FRANÇOIS LELORD. *L'estime de soi : s'aimer pour mieux vivre avec les autres.* Paris : Odile Jacob, 1999. 288 p.

DUCLOS, GERMAIN, DANIELLE LAPORTE ET JACQUES ROSS. *L'estime de soi de nos adolescents : guide pratique à l'intention des parents.* Montréal : Les éditions de l'Hôpital Sainte-Justine, 1995. 178 p.

DUCLOS, GERMAIN, DANIELLE LAPORTE ET JACQUES ROSS. *Les besoins et les défis des enfants de 6 à 12 ans : vivre en harmonie avec des apprentis sorciers.* Saint-Lambert, Québec : Les éditions Héritage, 1994. 367 p.

Estime de soi : lettres aux parents 1994-1998 / Comité estime de soi, Module famille-enfance-jeunesse, CLSC La Presqu'île. Vaudreuil-Dorion : CLSC La Presqu'île, 1998. Sans pagination.

LAPORTE, DANIELLE ET LISE SÉVIGNY. *Comment développer l'estime de soi de nos enfants : guide pratique à l'intention des parents d'enfants de 6 à 12 ans.* Nouv. éd. rev. et augm. Montréal : Les éditions de l'Hôpital Sainte-Justine, 1998. 119 p.

LAPORTE, DANIELLE. *Pour favoriser l'estime de soi des tout-petits : guide pratique à l'intention des parents d'enfants de 0 à 6 ans.* Montréal : Les éditions de l'Hôpital Sainte-Justine, 1997. 127 p.

MONBOURQUETTE, JEAN, MYRNA LADOUCEUR ET JACQUELINE DESJARDINS-PROULX. *Je suis aimable, je suis capable : parcours pour l'estime et l'affirmation de soi.* Nouv. éd. Outremont, Québec : Novalis, 1998. 362 p.

collection
PARENTS

▶ **Santé mentale**

Être parent, une affaire de cœur
Danielle Laporte

▶ **Santé et développement**

L'allaitement maternel
Comité pour la promotion de l'allaitement maternel
de l'Hôpital Sainte-Justine

En forme après bébé : Exercices et conseils
Chantale Dumoulin

▶ **Éducation et société**

L'estime de soi, un passeport pour la vie
Germain Duclos

Guide Info-Parents : l'enfant en difficulté
Michèle Gagnon, Louise Jolin, Louis-Luc Lecompte,
du Centre d'information sur la santé de l'enfant de
l'Hôpital Sainte-Justine (CISE)

Les troubles d'apprentissage : comprendre et intervenir
Denise Destrempes-Marquez, Louise Lafleur

L'Hôpital Sainte-Justine, l'un des plus importants hôpitaux pédiatriques d'Amérique du Nord, est le centre hospitalier universitaire (CHU) mère-enfant du réseau québécois de la santé. Centre dispensateur de services et de soins ultraspécialisés, l'Hôpital est reconnu pour son enseignement et ses activités de recherche.

MEMBRE DU GROUPE SCABRINI

Québec, Canada
2001